GUERNICA-LEGADO PICASSO

Textos de:
J. Miró, J. Renau, J. L. Sert,
J. Tusell y H. Chipp.

MUSEO DEL PRADO
CASON DEL BUEN RETIRO

MADRID, OCTUBRE 1981

MINISTERIO DE CULTURA
DIRECCION GENERAL DE BELLAS ARTES
ARCHIVOS Y BIBLIOTECAS

© MINISTERIO DE CULTURA
© para las ilustraciones S.G.A.E. (Madrid) - S.P.A.D.E.M. (París)
I.S.B.N. 84-7483-201-2
2.ª edición: Noviembre 1981
Depósito legal: VI. 579-1981
Heraclio Fournier, S. A. - Vitoria
Printed in Spain

NOTA EDITORIAL

La presente publicación sobre el «Guernica» y el legado de Pablo Ruiz Picasso al Museo del Prado surge del compromiso que ha sentido el Ministerio de Cultura de ofrecer, en el plazo más corto de tiempo, una publicación con la suficiente base científica y con una digna calidad de reproducción de cada una de las obras que componen esta colección de incalculable valor histórico y artístico.

Los textos que presentamos aportan por un lado los testimonios de las personalidades que de alguna manera estuvieron vinculadas a la creación del «Guernica» o al Pabellón español de la exposición parisina de 1937, proporcionan un estudio documental de toda la relación entre la Administración española y Picasso desde el origen mismo del cuadro hasta su venida a España y, en fin, los textos del profesor Chipp aportan una luz decisiva para comprender tanto la génesis del cuadro como sus avatares fuera de España como adelanto de lo que será, sin duda, una decisiva aportación de este autor al conocimiento de la obra quizá más significativa de la pintura del siglo XX. Una reproducción esmerada, con la correspondiente ficha técnica, de todo el legado que Picasso quiso que acompañara al «Guernica» en su viaje a España completa el presente catálogo.

Deliberadamente se ha rehuido la posibilidad de intentar dar una interpretación, que podría tener un regusto oficialista, de la gran obra de Picasso. No sólo resultaría pretencioso sino que probablemente además daría la sensación equivocada de que pretende terciar en una larga polémica iniciada desde el momento mismo de la concepción del cuadro. Sabemos que el «Guernica» es un alegato contra la violencia, la barbarie y la crueldad. Pero el propio Picasso se negó a desvelar de forma precisa todo el simbolismo que encierra. Su voluntad merece ser respetada y por ello se debe dejar a la interpretación de críticos e historiadores del presente y del futuro la posibilidad de acrecentar una bibliografía que ya es amplia.

Queremos agradecer su inestimable colaboración a quienes de alguna manera han contribuido a la traída definitiva a España del «Guernica» y el legado Picasso, muy especialmente a los herederos de Pablo Ruiz Picasso, sus abogados y administradores judiciales franceses, a los directivos y personal técnico del Museo de Arte Moderno de Nueva York, a la Embajada de España en Washington y al Consulado General de Nueva York, a todos los funcionarios de los Ministerios de Asuntos Exteriores y de Cultura, y a todas aquellas personas particulares, muy especialmente a aquellas que prestaron sus servicios a la segunda República española, que han intervenido en este histórico trabajo.

Recuerdo cuando hace años estuve en Guernica, a la sombra del árbol de Guernica. Y siento una gran emoción ahora que el «Guernica», la gran obra de Picasso, es recibida en España con todos los honores.

Recuerdo también los días en que visitaba a Pablo en su taller de la Rue des Grands Augustins y la pasión que él, *el hombre,* ponía en pintarlo. Y veo con orgullo que nuestra joven democracia está entrando en una etapa de fecunda creación.

2-X-1981

JOAN MIRO

Las medidas de los bocetos están dadas en milímetros, y entre paréntesis en pulgadas (in). La primera medida se refiere a la altura y la segunda a la anchura.

La bibliografía que aparece en cada una de las fichas del catálogo hace referencia a las siguientes publicaciones:

ZERVOS, C.: *Pablo Picasso*. Vol. IX, Oeuvres de 1937 a 1939. Editions Cahiers d'art. París.

LARREA, Juan (Textos de): *«Guernica»*. Cuadernos para el Diálogo, en colaboración con Eduardo Finisterre. Madrid, 1977. (1.ª edición en castellano.)

ARNHEIM, Rudolf: *El «Guernica» de Picasso. Génesis de una pintura*. Versión castellana de Esteve, Rimbau i Sauri. Revisión bibliográfica por Joaquín Romaguera y Ramió. Ed. Gustavo Gili, S.A. Barcelona, 1976.

RUSSELL, Frank D.: *El Guernica de Picasso*. Editora Nacional. Madrid, 1981.

PALAU I FABRE, Josep: *«El Guernica de Picasso»*. Ed. Blume. Barcelona, 1979.

BLUNT, Anthony: *Picasso's Guernica*. Oxford University Press, New York. 1969.

BLOCH, G.: *Pablo Picasso. Catalogue de l'oeuvre gravé et litographié*. Vol. I, 1904-1967. Berna, Kornfeld and Klipstein, 1968.

El número de registro corresponde en primer lugar al Museo de Arte Moderno de Nueva York (Museum of Modern Art) y en segundo lugar al Museo del Prado (Casón del Buen Retiro).

Las observaciones se refieren fundamentalmente a rastros de dibujo o pintura previos al estado final del boceto, vistos directamente, o mediante sistemas de rayos infrarrojos o lámpara de ultravioletas.

Se ha buscado en las reproducciones de las obras de arte aprovechar al máximo la caja de imprenta en cada una, por lo cual éstas no guardan proporción con las medidas reales de cada una de las obras reproducidas.

CONNOTACIONES TESTIMONIALES SOBRE EL «GUERNICA» (*)

por JOSEP RENAU

Soy pintor de oficio y las circunstancias de la vida me han llevado a tomar la pluma casi tanto como los «pinceles», con el fin de exteriorizar vivencias y experiencias inexpresables con medios visuales. El escrito que el lector tiene a la vista es el que ha consumido la mayor extensión de mi tiempo literario. Esporádicamente, desde luego, más con una emoción creciente, cada vez más tenaz e intensa. Sus primeras líneas fueron escritas hace cerca de 45 años (fines de diciembre de 1936) en el aeropuerto de Toulouse, durante la larga espera de un avión de línea. Y en unas circunstancias triplemente excepcionales: la primera vez que salía de España, la primera que visitaba París y, lo más inefable, la oportunidad de conocer personalmente a Picasso, algo entonces inverosímil para mí hasta el momento mismo de estrechar su mano...

La primera vez que el borrador estuvo «prácticamente terminado» fue en 1965, con el fin de imprimirlo el año siguiente, en ocasión de una fecha objetiva y subjetivamente memorable: el 85.º aniversario de Picasso y, para mí, el 30.º de haber anotado las referidas primeras líneas en el aeropuerto de Toulouse, cuando ya se habían confirmado con creces —como más adelante se verá— las impresiones y «temores» que yo había aventurado en ellas: residiendo ya en Berlín y de modo intempestivo, de los medios periodísticos parisinos me llegó un maligno canard *que, volviendo los hechos del revés, ponía seriamente en entredicho la integridad misma de mi papel con respecto al «fenómeno Guernica». Y dado que en aquellas circunstancias me era imposible desbaratar el infundio, decidí aplazar* sine die *la publicación de mi escrito. Años después, en 1973 y a raíz de la muerte de Picasso, traté de nuevo de sacar la cabeza de la manigua en que me había metido. Sin mejor fortuna: sombras negras y peligrosos baches en mi memoria y documentación, y nuevos azares diversos. A lo que siguieron otros intentos con los mismos resultados, siempre negativos y expectantes. Me he encontrado tantas veces en la misma situación con respecto a este trabajo, que cada día soy más escéptico acerca de eso que llamamos el azar...*

...[...] La historia es mucho más elástica para quienes la escriben que para quienes la hacen: aquéllos pueden comenzarla cuando y como se les antoje y cortarla donde les convenga. [...] No vacilo en remedar la parábola: quien esté limpio de vanidades que tire la primera piedra.

(*) *Extractos y resúmenes del libro* Albures y cuitas con el «Guernica» y su madre, *en curso de terminación.*

1. ESTUDIO DE COMPOSICION PARA «GUERNICA» (I)

1 de mayo de 1937.
210 × 269 mm. (8 1/4 × 10 5/8 in)
Grafito sobre papel azul.

Firmas e inscripciones: Sup. izq.: (I) 1er. Mai 37.

Bibl.: Zervos IX, lám. 1, pág. 1. Larrea: lám. 39. Arnheim: lám. 1, pág. 45. Russell: lám. 1, pág. 138. Palau i Fabre: lám. 1, pág. 46. Blunt: lám. 12 b, pág. 28.

N.º Reg.: MOMA: E.L. 39. 1093. 59 a.
M. PRADO (Casón): 108.

En este primer boceto para «Guernica» están ya definidas muchas de las formas esenciales que compondrán la obra final. Se distinguen cuatro elementos básicos: el toro, la mujer con la luz y la figura en horizontal del guerrero, cuyas posiciones serán fundamentalmente las mismas que en el cuadro, y por otra parte el caballo caído en el centro.

9

En lo que al respecto me concierna, creo que cuarenta y cinco años de silencio bastan. De los cientos de libros, ensayos y artículos que llevo leídos sobre el tema, no se cita, ni mucho menos se valora —salvo en un caso, que yo sepa*— el anodino hecho inicial que, rompiendo la larga modorra picassiana («La peor época de mi vida», según confesó a Douglas Duncan**), incitara al maestro malagueño a alcanzar la más alta cima del arte de nuestro siglo: la tremenda gestación y parto del Guernica...

Cuál será la fuerza del egocentrismo, que el mismo Juan Larrea —uno de mis mejores amigos y uno de los hombres más enteros, honestos y consecuentes que he conocido— elimina deliberadamente de sus textos toda mención a este hecho determinante.

Que el propio Picasso corrobora en unas declaraciones parcialmente desconocidas en castellano. En la introducción de Albert H. Barr Jr. —a la sazón conservador del MOMA— a la versión inglesa del ensayo de Larrea «Videncia del Guernica» *(ed. Curt Vallentin. New York, 1947) dice así:*

«En mayo de 1937, cuando Picasso trabajaba aún en el Guernica *expresó sus sentimientos en unas declaraciones que no fueron dadas a conocer hasta dos meses más tarde, en ocasión de una exhibición en Nueva York de carteles de la República española, cuando se rumoreaba que el pintor simpatizaba con Franco. Picasso escribió* entre otras cosas *(lo cual indica que el escrito era más largo —subr. y nota— J.R.):*

«La lucha española es la batalla librada por la reacción contra el pueblo y la libertad. Mi vida entera ha sido una lucha constante contra la reacción y la muerte del arte. ¿Cómo puede alguien suponer por un instante que yo pudiera estar de acuerdo con la reacción y la muerte? Cuando comenzó la rebelión, el Gobierno republicano español legalmente promovido por el pueblo, me nombró director del Museo del Prado, puesto que acepté inmediatamente. *En el mural en que estoy trabajando y que llamaré* Guernica, *y en todas mis obras recientes expreso mi execración de la casta que ha hundido a España en un océano de dolor y de muerte.»*

(La introducción de Alfred H. Barr Jr. ha sido suprimida en la versión castellana de Juan Larrea, y la parte subrayada del texto de Picasso, eliminada de la cita del escrito original.—J.R.)

Si no me engañan los recuerdos, J.-M. Armero me visitó en Berlín semanas después de la muerte de Franco. Principalmente interesado en mis viejos carteles de la guerra civil y en el asunto del Guernica. *Debió quedar decepcionado*

(*) El libro de Cesáreo Rodríguez Aguilera: «Picasso 85». Ed. Labor. Barcelona, 1968, pág. 182.

(**) David Douglas Duncan: «Les Picasso de Picasso». París, 1961.

2. ESTUDIO DE COMPOSICION PARA «GUERNICA» (II)

1 de mayo de 1937.
210×269 mm. (8 1/4×10 5/8 in)
Grafito sobre papel azul.

Firmas e inscripciones: Sup. izq.: (II) 1er. Mai 37.

Bibl.: Zervos IX, lám. 2, pág. 1. Larrea: lám. 40. Arnheim: lám. 2, pág. 47. Russell: lám. 2, pág. 142. Palau i Fabre: lám. 2, pág. 46. Blunt: lám. 12 a, pág. 29.

N.º Reg.: MOMA: E.L. 39. 1093. 59 b.
M. PRADO (Casón): 109.

Obs.: Aparecen restos de diferentes ensayos del caballo.

El segundo boceto lo realiza Picasso el mismo día y es de las mismas características y medidas que el primero. En él aparecen diferenciadas dos escenas. En la superior se aprecia no muy claramente la figura del toro vuelto hacia la figura de la portalámpara más fuertemente trazada que será quien domine la escena. Para Russell, esta figura está en la mente de Picasso desde el primer momento y aparece definida claramente su fuerza e intención desde el comienzo de la realización del cuadro.

En la escena inferior, Arnheim, destaca la unión de dos figuras esenciales en el desarrollo del «Guernica»: el toro y el caballo: Ambos aparecen juntos pero cada uno tiene ya asumida la misión que va a desempeñar en la obra final; el caballo se dirige hacia lo alto como signo de sufrimiento y el toro se caracteriza por su gran inmovilidad, y cierta pasividad que prevalece en todos los bocetos y en el «Guernica».

Es importante la figura del caballo alado que se posa sobre el lomo del toro, quizá el alma del caballo, que desaparece posteriormente en el cuadro final.

cuando le conté mi catastrófica salida de Barcelona, con la consiguiente pérdida de pinturas y dibujos, impresiones originales de los carteles, toda la documentación sobre el Guernica y otras cosas valiosas para mí. En fin, la conversación fue muy cordial y quedamos buenos amigos.

A causa de las elecciones italianas, la inauguración de la Bienal '76 se aplazó por un mes. Lo que me permitió aceptar una invitación especial a participar en las Fiestas Sexenales de la ciudad medieval de Morella con una exhibición de mis obras. Desde 1928, era ésta mi segunda exposición personal y la primera de mi vida en mis propias tierras valencianas. A la que decidí enviar estudios preparatorios y cartones originales de pintura monumental al exterior, últimamente realizados en la RDA. Llegué a Venecia el 18 de julio y debía estar en Morella para el 1.º de agosto. En Venecia se me cayó encima una verdadera nube de periodistas, críticos de arte, gentes curiosas, amigas y amigos nuevos, jóvenes y muy jóvenes casi en su totalidad. De pantalón vaquero y mochila, principalmente italianos y españoles. Y de bastantes otras nacionalidades. Un público del todo nuevo para mí que me pilló totalmente desprevenido...

Sin documentación de identidad alguna, a principios del exilio tuve que acogerme a la nacionalidad mexicana. Cuando a finales de julio del 76 me trasladé desde Venecia a Roma con el fin de obtener el correspondiente visado de entrada en España, en la Embajada española no se mostraron amables conmigo: las relaciones México-España eran por entonces muy tirantes. Se me dijo que había que consultar con Madrid, sin precisarme si sería cuestión de días o semanas de espera. Lo cual echaba por el suelo todos mis planes... Mas mediante la iniciativa y ayuda telefónica de Manolo García, J. M. Armero me resolvió el problema en un abrir y cerrar de ojos... Y viajé directamente a Madrid con el objeto de agradecer su gesto.

Lo que yo no me esperaba es que lo que en Venecia fuera una nube de verano en España era una verdadera tempestad. En el plano cultural —y hasta casi en el político —el retorno del Guernica constituía no sólo el tema del día, sino la obsesión de toda la prensa y medios de información. Se me acribillaba con preguntas y preguntas, que podrían resumirse en esta peregrina fórmula: —«Usted que le encargó el Guernica a Picasso, ¿podría decirme...?» Tuve que improvisar respuestas a granel con simples anécdotas tomadas al azar. Y con medias verdades, igualmente formularias: —«Yo no le encargué nada a Picasso; fuí una correa de transmisión; un simple mediador; un funcionario...». Y, como se sabe bien, las medias verdades suelen ser, en ocasiones, las peores mentiras...

Salvo raras excepciones, me apenaba oír y leer tantas conjeturas y especulaciones gratuitas, tan indigentes de base objetiva como de la lógica más elemental. Pues no se trataba de foceos y pelasgos, sino de españoles y de cosas ocurridas casi anteayer...

3. ESTUDIO DE COMPOSICION PARA «GUERNICA» (III)

1 de mayo de 1937.
210×268 mm. (8 1/4×10 5/8 in)
Grafito sobre papel azul.

Firmas e inscripciones: Sup. izq.: (III) 1er. Mai 37.

Bibl.: Zervos IX, lám. 3, pág. 2. Larrea: lám. 41. Arnheim: lám. 3, pág. 49. Russell: lám. 3, pág. 144. Palau i Fabre: lám. 3, pág. 47.

N.º Reg.: MOMA: E.L. 39. 1093. 4 a.
   M. PRADO (Casón): 110.

Obs.: Toque de color en la cabeza y en el brazo de la mujer de la lámpara. En la cabeza se aprecia también huella dactilar.

Este dibujo es un ensayo de diversas actitudes y posiciones del caballo. Estas cuatro versiones diferentes del caballo están presididas por la figura de la mujer con la lámpara que alarga bruscamente su brazo para iluminar la escena. El caballo es uno de los personajes del «Guernica» sobre el que Picasso insiste repetidamente en sus bocetos con el fin de encontrarle su posición exacta en el cuadro. Una de las figuras del caballo se muestra destripada siguiendo la representación tradicional que Picasso hace del animal en las corridas de toros.

El caballo del extremo superior izquierdo está tomado directamente del boceto n.º 2.

13

Armero era una de las raras excepciones. Andaba ya muy metido en el asunto, tanto en la prensa española como en la norteamericana. Desgraciadamente, con la misma carencia documental que los demás. Pero con tal fervor y fuerza de convicción que en la última conversación que tuve con él antes de partir para Morella, no vacilé en prometerle una fotocopia del único documento que yo poseía por entonces, muy posterior a los hechos, que figuraba en las últimas versiones frustradas de este escrito. —«Se trata —le dije— de la respuesta de Max Aub a una carta mía:

8 de noviembre de 1965

«Querido Pepe: Me ha costado Dios y ayuda dar con la nota bibliográfica del Guernica *de Larrea. Yo recordaba haber visto un ejemplar, porque el libro se ha editado en inglés. Efectivamente, lo tenía Silva Herzog. Con una introducción de Alfred Barr Jr., se publicó en Nueva York, en 1947 (...) Pero, desde luego, es una edición del Museo de Arte Moderno de Nueva York. Y supongo que allí te lo podrán facilitar. Referente a lo que escribes, recuerda que yo también intervine en este asunto y que personalmente fuí yo, como agregado cultural de la Embajada, el que pagó a Picasso los 150.000 francos —de entonces— que le dimos como compensación de los gastos, con la condición de que el cuadro siguiera siendo suyo». (Sub.—JR.)*

Armero divulgó enseguida la fotocopia. (Algo después le regalé la carta original, pues creí —y sigo creyendo— que estaba mejor en sus manos que en las mías.)
Los resultados no se hicieron esperar. (...).
A fines de 1979 y hallándome en España, decidí cerrar mi ya voluminoso dosier sobre el Guernica *y emprender la redacción definitiva del texto. Para terminar de una buena vez con la pesadilla que me atenazaba durante más de media vida. Sin embargo, esta drástica decisión no terminó con el viacrucis de azares que pesaba sobre mí. Sin dramatizar la cosa.*
A mi regreso a Berlín, la primera previsión que tomé fue aprovechar la buena voluntad de Hans-Joachim Ascherin, bibliotecario-archivero de la Biblioteca Nacional de Berlín, con el fin de poner orden en el caos de mis papeles con vistas a su traslado aquí. Fue tal el interés que en ello puso mi joven amigo, que llegó al extremo de iniciarse en el aprendizaje del castellano para entender mis papeles y molestarme lo menos posible en el cometido de su labor. Primer azar: ya casi terminada la redacción del escrito, un par de semanas antes de mi reciente llegada a Valencia —2/4/81—, una «mala» tarde, en ocasión de estar tomando una taza de café en la cocina de mi casa, entra Ascherin alargándome unos papeles. Hombre nada locuaz y muy discreto, lo intempestivo de su entrada y por su radiante

4. ESTUDIO PARA EL CABALLO (I)

1 de mayo de 1937.
210×269 mm. (8 1/4×10 5/8 in)
Grafito sobre papel azul.

Firmas e inscripciones: Sup. der.: (IV) 1er. Mai 37. Inf. der.: dibujo esquemático de hombre.

Bibl.: Zervos IX, lám. 4, pág. 2. Larrea: lám. 42. Arnheim: lám. 4, pág. 51. Russell: lám. 4, pág. 146. Palau i Fabre: lám. 4, pág. 48.

N.º Reg.: MOMA: E.L. 39. 1093. 4 b.
M. PRADO (Casón): 111.

Obs.: Aparece borrado en la parte superior otro dibujo similar de caballo.

A partir del boceto 4 se suceden una serie de estudios sobre el caballo como elemento único de la composición.

En este dibujo aparece el caballo trazado bajo un esquema completamente infantil, pero como señala Russell, contiene ya muchos de los rasgos que aparecen en el cuadro definitivo; su posición ya alzada y su volumen están ya claramente definidos.

«Sin embargo a pesar de toda su implicidad —o quizá precisamente por ello— este apunte contribuye a dar su sello a la imagen definitiva. Presenciamos la aparición de los ojos del caballo como cabezas de alfiler, superados en tamaño por los ollares, como una primera insinuación de lengua saliente. Y del amplio repertorio de caballos en los Estudios, ninguno anuncia tan claramente como éste la sección central enormemente voluminosa del animal definitivo descendiendo en forma de V, y subrayando el heroico triunfo del animal al levantar el cuerpo del suelo: de hecho el Estudio 4 constituye la única ocasión en los Estudios en que se presenta alzado el cuerpo del caballo. Tanto como cualquier otro elemento de la serie, el caballo del Estudio 4 demuestra la paradoja de la presencia de una gran fuerza en dibujos aparentemente infantiles, y de la humildad en la raiz de un logro memorable.»

expresión me olí como si quisiera decirme: ...creo que es algo importante para ti. *Se trataba de dos fotocopias que acababa de encontrar traspapeladas entre un montón de cartas, escritos y recortes de periódico que nada tenían que ver con el dossier del* Guernica *(que yo guardaba celosamente en carpetas especiales). La primera lectura me dio una especie de vahído: de nuevo la pesadilla de confrontación de circunstancias, hechos, fechas... ¡Vaya que la cosa me afectaba personalmente...! Y tanto.*

Recordaba vagamente el contenido de las fotocopias encontradas. Mas su aspecto principal seguía grabado en mi memoria; la única prueba que poseía sobre un hecho insólito y determinante. Las busqué afanosamente durante muchos años, desde 1973 concretamente, el de la muerte de Picasso. Y las creía definitivamente perdidas, con muchos otros papeles y libros, muy probablemente durante una inundación de mi casa, un año anterior a aquél, hallándome internado en el hospital.

Lo que ahora me transtornaba era el hecho de tenerlas de nuevo en la mano... A la segunda lectura se me hizo un nudo en la cabeza, sin poder desatar ni un solo cabo. Después, mi primer impulso fue tirar por la tangente. El trabajo terminado, ¿qué importaba la parte personal del problema si el objetivo principal estaba ya cubierto?

Con la cabeza más fresca, una nueva lectura me hizo recapacitar. El documento subraya principalmente el hecho de que el primer contacto de Picasso con la República se debió a una iniciativa personal mía, lo que ni siquiera se insinuaba en el texto recién escrito ni en las anteriores versiones e intentos. El evidente protagonismo de este hecho fue lo que más me hizo vacilar. Mas, desde un punto de vista estrictamente informativo —que constituye la finalidad esencial de mi trabajo— ello me permitiría transmutar las medias verdades —mentiras— que yo había prodigado durante tantos años a periodistas, críticos, amigos y curiosos sobre mi relación con el «fenómeno Guernica», por la verdad monda y lironda de los hechos.

Además —y sobre todo—, si mis impresiones y recuerdos se confirmaban y en el caso de que el litigio por el Guernica *girara a las malas, quizás otros datos del mismo documento pudieran aportar un argumento de importancia capital para la recuperación de la obra. Esto fue lo decisivo para mí. Así pues, la única salida posible y sensata era revisar y reescribir el texto de cabo a rabo.*

La fotocopia es una comunicación carente de destinatario y de fecha. Y firmada por su autor, testigo activo de los hechos que relata.

He aquí el documento en cuestión.

«El Guernica *se exhibe en el Museo de Arte Moderno de Nueva York desde 1939, año en que Sidney Janis, uno de los benefactores del Museo, lo solicitó a Picasso para*

5. ESTUDIO PARA EL CABALLO (II)

1 de mayo de 1937.
210×268 mm. (8 1/4 × 10 5/8 in)
Grafito sobre papel azul.

Firmas e inscripciones: Sup. izq.: (5). Sup. der.: 1er. Mai 37.

Bibl.: Zervos IX, lám. 5, pág. 3. Larrea: lám. 43. Arnheim: lám. 5, pág. 53. Russell: lám. 5, pág. 148. Palau i Fabre: lám. 5, pág. 49. Blunt: lám. 17 a, pág. 36.

N.º Reg.: MOMA: E.L. 39. 1093. 3.
M. PRADO (Casón): 112.

Obs.: Aparecen diferentes ensayos de las patas del caballo.

Una vez más el caballo es el tema de los bocetos. Pero ahora el caballo se vuelve más expresivo y trágico que en los bocetos anteriores. Surge la tensión y el sufrimiento y se fijan en su versión definitiva.

Para Palau i Fabre: «El caballo pueril del estudio n.º 4 fue hecho con una idea preconcebida, mientras que el esquema del caballo trágico del estudio n.º 5 representa el triunfo del instinto sobre dicha idea. En el transcurso de la preparación del «Guernica», estas dos fuerzas, que actúan constantemente en Picasso como un sistema binario, se alternarán y se ayudarán mutuamente.»

que figurase en una exposición a beneficio de los refugiados españoles *(sub. JR.)*. [...]

«En enero de 1937 el gobierno de la República recabó de Picasso una obra para que se exhibiera en el pabellón español de la Exposición Internacional de París. La guerra de España había conmovido la conciencia de Picasso como la de otros artistas ilustres. A raíz del bombardeo de Guernica Picasso había iniciado un ciclo de dibujos en el que aparece obsesivamente una serie de figuras desgarradoras de mujeres, de niños y caballos, que le servirán de base para la creación definitiva del Guernica, *obra que será el centro de atracción de la Exposición Internacional [...].*

»El impacto de nuestra guerra fue definitivo en la obra de Picasso y en su actitud humana y política posterior. Un hecho no suficientemente conocido originó su incorporación activa a nuestra causa. La Dirección del Museo del Prado estaba vacante y, como en otras ocasiones, se podía ocupar por cualquier figurón al uso; pero el momento exigía otra cosa. En una conversación con el entonces Director General de Bellas Artes, José Renau, surgió el nombre de Picasso para el cargo. En otras circunstancias, la idea de ofrecer la dirección del Museo a quien estaba tan de espaldas a todo lo «oficial» y tan alejado durante años, física y moralmente, de España, hubiera parecido una humorada. Pero el entusiasmo contagioso de Renau se impuso y allí mismo se escribió una carta de tanteo a Picasso. Pasó el tiempo, cerca de un mes, y cuando se pensaba en una salida en falso llegó la contestación emocionada de Picasso aceptando y poniéndose incondicionalmente al servicio del gobierno: pues nunca se había sentido tan español y tan compenetrado con la causa que se estaba ventilando (estas o parecidas eran sus palabras).

»Picasso no fue a Madrid por considerarse que cualquier manifestación suya tendría mayor repercusión en París que en Madrid, con el Prado bombardeado y sus obras camino de Valencia.»

(Firmado: ANTONIO DELTORO.)

Sin el testimonio del tardío encuentro de esta fotocopia, ni yo ni nadie hubiera osado aludir a un hecho que cualquier espíritu malévolo hubiera podido fácilmente revolver contra su autor como un verdadero boomerang de prurito protagonista; lo más alejado de mis usos y costumbres de siempre (...). Mas la circunstancia insólita que el documento atestigua hubiera quedado desconocida sine die, *quizás hasta que la carta original apareciera en los archivos privados de Picasso, tan inexcrutables, hoy por hoy, como las cuentas de los bancos suizos...*

Para el cabal entendimiento del caso hay que precisar, primeramente, que Antonio Deltoro es uno de mis mejores amigos, y que fue mi principal colaborador, como secretario personal, durante la etapa más dura de mi gestión al frente

6. ESTUDIO DE COMPOSICION PARA «GUERNICA» (IV)

1 de mayo de 1937.
537 × 647 mm. (21 1/8 × 25 1/2 in)
Grafito y óleo (blanco de bario) sobre contrachapado de madera.

Firmas e inscripciones: Inf. izq.: 1 Mai XXXVII.

Bibl.: Zervos IX, lám. 10, pág. 5. Larrea: lám. 46. Arnheim: lám. 6, pág. 55. Russell; lám. 6, pág. 150. Palau i Fabre: lám. 6, pág. 50. Blunt: lám. 13 a, pág. 30.

N.º Reg.: MOMA: E.L. 39. 1093. 2.
　　　　M. PRADO (Casón): 113.

Obs.: Se aprecian formas subyacentes confusas, de difícil lectura, que sugieren encima del lomo del toro la aparición de un Pegaso de forma similar al aparecido en el boceto 3.
Se observan también desplazamientos de las patas del toro y restos de las bridas.

Este dibujo de excepcional calidad artística, es el último de los realizados durante la primera jornada y se puede considerar como el estudio de grupo más elaborado de todos sus bocetos. En él aparecen ya los cuatro personajes básicos: el toro, a la izquierda, dominando la escena por su volumen pero ajeno totalmente a ella, ya que dirige su mirada hacia el lado contrario; el caballo en posición diagonal en dirección hacia la portadora de la luz y creándose entre ellos una especie de diálogo que según Arnheim «vincula el tema de la luz muy estrechamente con el del caballo sufriente». Y finalmente, la figura del guerrero con lanza, tumbado, como dormido, en el primer plano de la composición.

Aparecen ya definidos los principales elementos arquitectónicos del cuadro definitivo.

de la D.G. de BB. AA., en Madrid y Valencia. Me ha reconocido la autenticidad de su firma, algo borrosa en la fotocopia, mas no se acuerda de la fecha de su escrito. Pero sí de la circunstancia concreta de éste: una periodista norteamericana se dirigió al Dr. José Puche —ilustre y más responsable cabeza de la emigración republicana en México— interesada en los avatares del Guernica. El Dr. J. P. pasó la petición a A. D. como competente en el asunto. Información de primera mano que el Dr. tuvo la delicadeza de remitirme en fotocopia acompañada por una carta manuscrita suya. Residiendo en Berlín (RDA) desde marzo de 1958, el envío de la fotocopia no pudo ser anterior a esta fecha. En segundo lugar, hay que precisar también que el testimonio de Antonio Deltoro lo es por partida doble, pues fue él mismo quien —esto lo atestiguo yo— redactó la carta que, después de una conversación habida en la tarde de un día de septiembre de 1936 entre Roberto Fernández Balbuena (a la sazón secretario de la Junta de Defensa del Tesoro Artístico de Madrid), el propio A. D. y quien estas líneas escribe, debidamente mecanografiada sobre papel y con el sello oficial de la D. G. de BB. AA. y firmada por mí como titular del cargo, fue inmediatamente remitida a su eminente destinatario.

La respuesta de Picasso tuvo inmensa resonancia en el seno del Gobierno y las cosas fueron muy deprisa:

«DECRETO*

«De acuerdo con el Consejo de Ministros y a propuesta del de Instrucción Pública y Bellas Artes.
«Vengo en nombrar Director del Museo del Prado a D. Pablo Ruiz Picasso.
«Dado en Madrid a diecinueve de septiembre de mil novecientos treinta y seis.

MANUEL AZAÑA»

(Gaceta de Madrid. Núm. 264. 20 Septiembre 1936)

La solidaridad no se paga. La misión que me llevó a París en diciembre de 1936 era eminentemente política: invitar a los numerosos artistas españoles residentes allí a participar en la lucha antifascista que sostenía el pueblo español, bien proponiendo alguna obra concebida especialmente para el pabellón de España en la EIP'37, o bien exponiendo en éste obras ya realizadas. En el primer caso —y si se trataba de una obra inmueble (pintura mural, por ejemplo)— el artista invitado podía escoger libremente el

___

(*) Segundo azar: este decreto no figuraba en mi dossier sobre el Guernica. Me fue proporcionado por la actual Dirección General de BB. AA. en ocasión de escribir este resumen.—J.R.

7. ESTUDIO PARA LA CABEZA DEL CABALLO (I)

2 de mayo de 1937.
210×155 mm. (8 1/4×6 1/8 in)
Grafito sobre papel azul.

Firmas e inscripciones: Sup. izq.: 2 Mai 37 (I).

Bibl.: Zervos IX, lám. 6, pág. 3. Larrea: lám. 44. Arnheim: lám. 7, pág. 56. Russell: lám. 7, pág. 152. Palau i Fabre: lám. 7, pág. 51.

N.º Reg.: MOMA: E.L. 39. 1093. 8 a.
          M. PRADO (Casón): 114.

Obs.: El borde derecho es irregular.

Sobre la cabeza del caballo, Picasso insiste en tres bocetos consecutivos (7, 8 y 9). El 7 y el 8 son casi iguales, y en ellos se fijan ya las características del caballo que pasarán casi intactas al cuadro. Russell, analiza minuciosamente los elementos que configuran la cabeza del caballo: «Hacen su aparición los ollares giratorios con forma de lágrima, así como el paladar con muescas. Los ojos ciegos en forma de botón se cosen en el mismo sitio procedentes del Estudio 6; la lengua terminada en punta también reaparece como rasgo definitivo, al igual que los inútiles lazos de las orejas». La diferencia fundamental con respecto al dibujo siguiente (8) reside en la posición exterior que ocupan los dientes en el dibujo 7, mientras que en el 8 vuelven a su posición normal y adquiriendo con esto un mayor equilibrio de formas.

21

emplazamiento que considerase más adecuado a su colabo-
ración, de acuerdo —naturalmente— con los planes y
planos de los arquitectos constructores del pabellón. En la
lista de prelaciones de los artistas invitados que me traje
de España, Picasso figuraba en primer lugar. Y el gran
artista español entendió cabalmente el hondo alcance del
mensaje que le transmití. Según testimonio de Juan Larrea,
Picasso dijo posteriormente que «manejaba los pinceles
como los milicianos manejan el fusil»...

Dejo deliberadamente como cierre de estas líneas una
curiosa anécdota que saben muy pocos amigos. Entre ellos,
y por entonces, Antonio Deltoro y, después del 77, José-
Mario Armero.

Después del famoso cónclave ante el que Picasso arran-
cara los policromos retazos de papier-tapis *que había*
pegado sobre su obra —con la aclamación de todos nosotros—,
tuve un último encuentro a solas con él. Se me ocurrió una
verdadera blasfemia museográfica: «—¿Qué le parecería
—le dije— si terminada la guerra preparásemos en el
Prado una sala especial en que se expusieran juntos Las
Meninas, *su* Guernica *y* Los fusilamientos de la
Moncloa...?» *Me miró fijamente por unos instantes con*
una viva simpatía, volvió la cabeza y siguió trabajando.
Nos despedimos tan cordialmente como siempre...

Desde entonces no me he encontrado nunca más a solas
con el maestro. Cuando en 1939 salí del horrendo campo
de concentración de Argèles-sûr-Mer, Picasso me envió
1.500 francos cada uno de los tres meses que permanecí en
Toulouse. Luego me enteré de que otros intelectuales espa-
ñoles refugiados también habían recibido su ayuda. De modo
que, con toda probabilidad, Picasso devolvió con creces los
famosos «150.000 francos —de entonces—» que había
recibido de la República en concepto de los gastos que pu-
diera ocasionarle la ejecución de una obra aún desconocida.

JOSEP RENAU

Madrid, octubre 1981.

8. ESTUDIO PARA LA CABEZA DEL CABALLO (II)

2 de mayo de 1937.
269 × 210 mm. (10 5/8 × 8 1/4 in)
Grafito sobre papel azul.

Firmas e inscripciones: Sup. izq.: 2 May 37 (II).

Bibl.: Zervos IX, lám. 7, pág. 3. Larrea: lám. 45.
Arnheim: lám. 8, pág. 57. Russell: lám. 8, pág. 152.
Palau i Fabre: lám. 8, pág. 51.

N.º Reg.: MOMA: E.L. 39. 1093. 8 b.
M. PRADO (Casón): 115.

En este boceto, muy similar al anterior, la cabeza
del caballo aparece más equilibrada, se reduce algo
su tamaño y por lo tanto presenta una mayor unidad.

«LA VICTORIA DEL GUERNICA»

por JOSEP LLUIS SERT

En las siguientes notas y comentarios sólo quiero expresar algunos de mis recuerdos relacionados con el Guernica de Picasso. Con otros amigos, vi nacer esta gran obra y la vi colocar en el pabellón de la República Española que con el amigo Luis Lacasa proyectamos en París en la Exposición Internacional en el año 1937.

A pesar de los muchos años transcurridos trataré de revivir aquellos emocionantes momentos.

Muy a última hora, el Gobierno de la República decidió que España debería participar en la Exposición Internacional a pesar de las condiciones de guerra civil que atravesaba el país.

Con el colega y amigo Luis Lacasa se nos encargó el proyecto del nuevo pabellón. Con la ayuda de un equipo entusiasta pusimos manos a la obra, que fue construida rápidamente en un pequeño terreno (uno de los últimos aún libres) en los Jardines del Trocadero.

Teníamos un presupuesto muy modesto, poco tiempo para llevar a cabo la obra y un programa totalmente nuevo y diferente de los otros pabellones de la exposición, dedicados a países que disfrutaban de una paz que pronto terminaría...

El objetivo del pabellón era de exponer al mundo la situación del país en guerra, informarles sobre las verdaderas condiciones y la heroica lucha de un pueblo defendiendo sus derechos con el fin de contrarrestar los muchos falsos rumores que en la prensa entonces circulaban.

Era hasta cierto punto una continuación de la labor de la embajada de España en París, que había iniciado un centro de información y exposiciones en el Boulevard de la Madeleine. Si contábamos con pocos medios y un terreno pequeño, tuvimos la ayuda entusiasta y la colaboración de los mejores artistas, pintores, escultores, escritores y poetas desde el principio.

Fue Picasso uno de los primeros en ofrecer su colaboración, con un gran mural que ocuparía el lugar más visible del edificio.

Vino con los arquitectos y representantes de la embajada y el Comisario General José Gaos a visitar el lugar. Examinó los planos en sus fases iniciales y en una de sus visitas, ya comenzadas las obras, determinamos la colocación precisa y las dimensiones de la tela.

Veíamos a Picasso casi todas las noches en el Café de Flore en Saint Germain des Près.

Durante los primeros meses, ya iniciadas las obras, Picasso no hablaba de su trabajo en el mural.

Fue ya entrado mayo cuando invitó a los arquitectos y otros amigos a visitar su taller, en 7 Rue des Grands Augustins, para ver su trabajo comenzado en el mural.

9. CABEZA DE CABALLO (I)

2 de mayo de 1937.
650×921 mm. (25 1/2×36 1/4 in)
Oleo sobre lienzo.

Firmas e inscripciones: Sup. izq.: 2 May 37.

Bibl.: Zervos IX, lám. 11, pág. 5. Larrea: lám. 48. Arnheim: lám. 9, pág. 59. Russell: lám. 9, pág. 154. Palau i Fabre: lám. 9, pág. 52. Blunt: lám. 18 a, pág. 37.

N.º Reg.: MOMA: E.L. 39. 1093. 7.
 M. PRADO (Casón): 116.

Obs.: La silueta está contorneada por un elemento incisivo. Existe un desplazamiento en la parte inferior del belfo.

Los dos estudios anteriores sobre la cabeza del caballo culminan en este óleo sobre lienzo de regular tamaño. Es como una obra definitiva para el mural final.

Para Palau i Fabre: «Estas proporciones, y el hecho de ejecutar el proyecto en óleo sobre tela, parece indicarnos que Picasso lo ha considerado bueno y casi definitivo, y que ha querido ver el aspecto que podría tener una vez realizado. Los dientes de la mandíbula superior del caballo no salen, ahora, por encima de la nariz, como en el boceto n.º 7, ni por debajo, como en el boceto n.º 8, sino por un lado. La lengua es, más que nunca, el final de una lanza o de un pararrayos».

Esta obra, en sí misma, se puede considerar de extraordinaria importancia dentro de la producción de Picasso en aquel momento. En el «Guernica» definitivo la cabeza del caballo aparecerá de forma distinta, lo que en modo alguno resta valor a la figura aquí representada.

Hicimos varias visitas y pudimos contemplar los múltiples cambios de la gran composición. Estos se sucedieron muy rápidamente y nos dimos cuenta del entusiasmo, energía y furia que ponía en su trabajo. Cada visita era una nueva sorpresa: cambios radicales en la composición, posiciones de los personajes y elementos del trazado general, eliminación de los collages y color hasta reducir los medios de expresión a blancos, grises y negros.

Un día nos dijo en el café cuando se aproximaba la fecha de inauguración del pabellón, y no sabíamos si tendríamos la tela para la apertura: «¡Si no me la quitan y vienen a llevársela no la acabaría nunca!».

Nos sorprendió una mañana acompañando él mismo al camión que transportó la gran tela al pabellón.

Con Luis Lacasa y con Alberto Sánchez presenciamos la colocación y montaje del marco.

Era inconcebible cómo el mural tomó posesión del lugar, pues nosotros sólo lo habíamos visto en el taller, y el efecto sorprendente, como si lo hubiese pintado sobre la pared misma, en el mismo lugar.

Como arquitectos, después de ver crecer la tela decidimos suprimir un pilar metálico para darle mejor espacio visual —que su escala monumental requería—. A las seis de la mañana de la vigilia de la inauguración y después de colgar la estructura del techo inferior de una jácena de la cubierta retiraron el pilar y la deflexión resultó mínima. ¡Respiramos pasado el momento crítico! Con el mural todo el pabellón en su planta baja y patio se llenó de vida y movimiento. ¡La transformación del espacio era increíble!

Joan Miró contribuyó con un gran mural pintado directamente sobre los paneles de Celotex del muro interior de la escalera (hoy desaparecido, posiblemente después de su regreso a Valencia).

Alberto Sánchez construyó, in situ, su gran escultura totémica.

Julio González presentó «La Montserrat», ahora en el Museo de Amsterdam y Alexander Calder una fuente de mercurio. Picasso cuando vio el conjunto ofreció dejar dos esculturas suyas que aún no habían sido expuestas.

Para seleccionar las piezas más apropiadas nos llevó en su «Hispano-Suiza» a su finca de Boisgeloup donde tenía un taller y almacén de las esculturas más recientes. Escogimos dos piezas para el pabellón; una se emplazó frente a la escalera de salida (cerca de «La Montserrat» de Julio González). Era una cabeza femenina monumental. La otra pieza, un desnudo de mujer con una jarra en una mano, se colocó frente a la fachada del patio en un espacio lindante con el jardín del pabellón de Polonia vecino al de España.

Tuvimos a los pocos días un mensaje del Comisario General del pabellón de Polonia, que nos dijo quería hablarnos con urgencia. Nos pidió retiráramos la escultura de Picasso que miraba hacia el pabellón de su país, con el

10. ESTUDIO DE COMPOSICION PARA «GUERNICA» (V)

2 de mayo de 1937.
600 × 730 mm. (23 5/8 × 28 3/4 in)
Grafito y óleo (blanco de bario) sobre contrachapado de madera.

Firmas e inscripciones: Inf. izq.: 2 Mai 37.

Bibl.: Zervos IX, lám. 8, pág. 4. Larrea; lám. 47. Arnheim: lám. 10, pág. 61. Russell: lám. 10, pág. 156. Palau i Fabre: lám. 10, pág. 53. Blunt: lám. 13 b, pág. 30.

N.º Reg.: MOMA: E.L. 39. 1093. 1.
M. PRADO (Casón): 117.

Obs.: Aparecen varios desplazamientos en el perfil de la mujer de la lámpara, y en los ojos, las patas y el rabo del toro.
El toro en un principio aparecía inmóvil, con las patas rectas.

Este boceto, también de una impecable factura, resulta complementario del n.º 6. Hay que señalar que es el único estudio de composición en el que el toro abandona su hieratismo e inmovilidad.

Es sin duda, uno de los más bellos bocetos preparatorios para el «Guernica».

27

comentario: «*No quisiera crea el público que se trata de una obra de un escultor polaco*». *Estábamos en el año 37 y los tiempos han cambiado mucho desde entonces. La escultura permaneció en el mismo lugar.*

Desde su aparición en el Pabellón el Guernica *fue objeto de constantes comentarios en la prensa internacional, la mayoría reconociendo desde el principio se trataba de una de las obras maestras del pintor más discutido de nuestro siglo.*

La gente desfilaba ante la obra en silencio, como si se diesen cuenta de que además de su valor pictórico era una premonición de lo que poco después realizó la guerra mundial. Un grito de protesta contra la barbarie de toda guerra y más de las de nuestros días. Un grito, entonces, de un pueblo que lucha por su libertad, por su dignidad y por sus derechos.

Tuve el privilegio de ver el Guernica *cada día durante la vida de la exposición.*

Tengo un recuerdo imborrable de cómo el cuadro tomaba mayores dimensiones y más vitalidad cada mes.

Se sentía uno en presencia de algo sin precedentes. Es un verdadero mural por calidad y naturaleza, incomparable con ninguna obra mural producida en la época moderna. Sin estar pintado directamente en la pared era parte integrante del muro y del espacio que lo rodeaba y del que tomó posesión total.

Llegó pronto el final de la exposición, octubre del '37. Picasso reclamó se le dejase «en depósito» su obra hasta que se acabase la guerra y se restableciese la República.

Poco tiempo después el Guernica *inicia su peregrinación mundial para continuar defendiendo en distintos países la causa que representaba y para la cual había sido concebido.*

Se expuso la tela en Londres, atravesó el Atlántico hacia EE.UU., pudo verlo y admirarlo el público de Boston, Chicago, San Francisco, etc.

Y vino un buen día a Nueva York al Museo de Arte Moderno donde quedó en depósito hasta su reciente traslado a Madrid. ¡Habían pasado 44 años!

Tuve nuevamente el privilegio de poder ver el Guernica *con frecuencia viviendo yo por aquel entonces en la misma ciudad. El cuadro mantenía el recuerdo vivo de las circunstancias que lo vieron nacer. Con la segunda guerra mundial, el presagio de los horrores que anunció el* Guernica *tomó aún mayor realidad y actualidad, a medida que los desastres y barbaries crecieron y se multiplicaron.*

El Museo de Arte Moderno organizó una mesa redonda para comentar y discutir el significado del Guernica.

Participaron Juan Larrea (autor del mejor libro sobre el cuadro) y varios importantes críticos de arte.

Yo recuerdo propuse se organizase un desfile por la Quinta Avenida llevando el cuadro en triunfo a las Naciones Unidas, para mantener en ese centro de debates el recuerdo vivo de la barbarie bélica, y de la heroica lucha del pueblo de España contra la agresión y la violencia.

11. CABALLO Y TORO

Sin fechar.
227 × 121 mm. (8 7/8 × 4 3/4 in). Irregular
Grafito sobre fragmento de cartulina siena.

Bibl.: Zervos IX, lám. 9, pág. 4. Larrea: lám. 53. Arnheim: lám. 11, pág. 63. Russell: lám. 11, pág. 158. Palau i Fabre: lám. 11, pág. 54. Blunt: lám. 30 b, pág. 55.

N.º Reg.: MOMA: E.L. 39. 1093. 9.
M. PRADO (Casón): 118.

En este dibujo el toro y el caballo aparecen juntos por vez primera. El toro se pone en contacto con el caballo manifestando una cierta hostilidad, acontecimiento que según Russell se produce una sola vez en toda la serie de bocetos. El toro parece molestar al caballo con sus patas.

Según Larrea este dibujo se halla enormemente influido de las pinturas románicas españolas, muy especialmente de las ilustraciones del Beato de Liébana.

Vi al Guernica *por última vez en América en la gran exposición retrospectiva de Picasso, rodeado de la casi totalidad de sus principales obras. Al entrar en la sala donde se exponía, volvió a sorprenderme como algo único y diferente, la cumbre de una obra vastísima y variadísima que nunca llegó a superar.*

Ahora, al final de una peregrinación y exilio de 44 años se encuentra en el lugar que Picasso creía debería destinársele, junto al Museo del Prado, a pocos pasos de los Fusilamientos del 2 de mayo de Goya, tan distintos y sin embargo lo que más se le aproxima.

Final de un viaje triunfal, parafraseando el poema de Paul Elouard* (reproducido y expuesto también en el Pabellón), estamos ante la victoria del Guernica.

JOSEP LLUIS SERT

Cambridge, 4 de octubre, 1981.

(*) *Cuando llegó a París la noticia del bombardeo de Guernica, Paul Eluard, el poeta, gran amigo de Picasso, compuso un poema titulado «La victoire de Guernica», parte de su libro «Cours naturel», Ediciones Sagitaire, París.*

12. ESTUDIO DE COMPOSICION PARA «GUERNICA» (VI)

8 de mayo de 1937.
241×457 mm. (9 1/8 $\times$ 18 in)
Grafito sobre papel de dibujo blanco.

Firmas e inscripciones: Inf. izq.: 8 Mai 37. (I).

Bibl.: Zervos, IX, lám. 13, pág. 6. Larrea: lám. 49. Arnheim: lám. 12, pág. 65. Russell: lám. 12, pág. 160. Palau i Fabre: lám. 12, pág. 160. Blunt: lám. 14, pág. 32.

N.º Reg.: MOMA: E.L. 39. 1093. 5.
            M. PRADO (Casón): 119.

Este boceto refleja ya el carácter monumental de la obra. El grupo del guerrero y el caballo es muy parecido al boceto n.º 10. El caballo estira bruscamente las patas delanteras en un intento vano por levantarse. El toro aparece en un segundo término dominando fuertemente con su volumen la escena. La figura de la mujer con la lámpara ha desaparecido y en su lugar asoma la figura de una madre con su hijo que en el cuadro definitivo se colocará debajo del toro. Arnheim nos describe la aparición de este nuevo personaje:

«Puesto que sabemos que la madre con el niño muerto será colocada finalmente debajo del toro, nos impresiona particularmente la futilidad de su presente llamamiento apasionado que se evapora en el espacio vacío.»

«La combinación de madre y niño requerirá gran organización. Por el momento, el grupo de las dos figuras no está adaptado a un contorno integrado.»

EL «GUERNICA» Y LA ADMINISTRACION ESPAÑOLA

por JAVIER TUSELL

El objeto del presente trabajo es abordar un aspecto desde luego no decisivo, aunque sí en gran medida desconocido, de la gestación del Guernica *de Picasso, así como de las gestiones llevadas a cabo para su recuperación por parte del Estado español y su posterior exhibición en el Museo del Prado de Madrid. No se abordarán por tanto en el presente texto cuestiones relacionadas con la inspiración del cuadro o un examen estilístico o comparativo de su significado, sino, por el contrario, una historia puramente externa del mismo. Sin duda el mayor interés de esta narración reside en la utilización de documentación hasta ahora poco accesible o ignorada procedente de los archivos de la Administración española. En la medida en que esta documentación pueda servir para ilustrar y explicar el* Guernica, *aunque sólo sea en aspectos circunstanciales o aparentemente mínimos, se habrá cumplido el objetivo del autor.*

1. PICASSO Y LA REPUBLICA

El proceso de gestación del Guernica *tiene unos prolegómenos remotos y, en realidad, nada hacía presagiar que pudieran concluir en un cuadro de tan trascendental importancia en la historia de la pintura. En los años treinta, Picasso era en buena medida un desconocido en España y, en todo caso, distaba mucho de ser aceptado incluso por los sectores de la profesión a la que pertenecía. Lejanos estaban ya los años en los que pudo formarse en la vanguardia barcelonesa de comienzos de siglo. La crítica madrileña más al uso, como, por ejemplo, Juan de la Encina, le consideraba «en ningún caso un precursor de tiempos nuevos» o «un abridor de nuevos caminos», sino tan sólo un hábil y ecléctico reproductor de modas: «Picasso lo sabe todo y todo lo imita y lo reproduce», decía. Otro crítico, Manuel Abril, escribiendo en* Blanco y Negro *en marzo de 1934, calificaba de «fracaso completo» una reciente exposición picassiana en París. Peor todavía fue el juicio de la* Gaceta de Bellas Artes, *sedicente órgano de la Asociación de Pintores y Escultores, con ocasión de la exposición celebrada en Madrid a comienzos de 1936: Picasso sería un pintor dado a las «extravagancias», que, en serio o en broma, se ha dado a la extraña manía de inventar, y un «ídolo» de los «marchantes judíos» y de los «peras de la crítica y el ensayismo».*

Claro está que afortunadamente no todos los juicios eran como éstos. La exposición organizada por ADLAN (Amigos de las Artes Nuevas) en Barcelona y Madrid

13. CABALLO Y MADRE CON NIÑO MUERTO

8 de mayo de 1937.
240 × 455 mm. (9 1/2 × 18 in).
Grafito sobre papel de dibujo blanco.

Firmas e inscripciones: Inf. centro: 8. Mai. 37 (II).

Bibl.: Zervos IX; lám. 12, pág. 6. Larrea; lám. 50 Arheim; lám. 13, pág. 67. Russell; lám. 13, pág. 164. Palau i Fabre; lám. 13, pág. 55.

N.º Reg.: MOMA: E.L. 39. 1093. 10.
M. PRADO (Casón): 120.

En este dibujo Picasso ha concentrado las figuras del caballo y de la madre con el niño muerto que tanta importancia tenían en el boceto número 12. Las analiza ahora por separado.

Aunque numerosos autores señalan una cierta confrontación entre el caballo y la madre con el niño, es posible que dichas figuras estén juntas por mera casualidad.

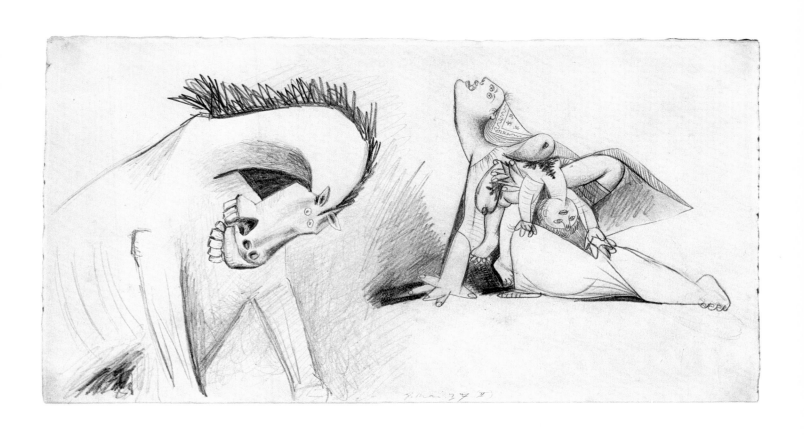

dio la oportunidad, pese a su carácter fragmentario, para conocer a un Picasso nuevo, no el de comienzos de siglo. En su catálogo, Guillermo de la Torre le definía como «un espíritu inventivo en hervor continuo», y, entre otros críticos, Enrique Lafuente Ferrari se refirió a ella con todo interés y entusiasmo precisamente por su vanguardismo, mientras Eduardo Westerdahl dedicó al pintor un número de la Gaceta de Arte canaria. Algo se había avanzado en el conocimiento del pintor por parte de los españoles, pero cuando él viajó por España en 1933 y 1934 no estuvo demasiado expresivo con la Prensa: Picasso no parla, decía el artículo que se le dedicó en el diario barcelonés La Publicitat.

Pero ¿qué pasaba mientras tanto en las esferas oficiales? La República hizo mucho por la protección legal del patrimonio artístico. Su política de artes plásticas fue, sin embargo, convencional y no rompió los moldes heredados. Basta, para comprobarlo, leer los catálogos de las exposiciones nacionales. Sin embargo, el director general de Bellas Artes hizo por lo menos un intento, y consistió precisamente en intentar una exposición de Picasso, del que reconocía «que goza de universal nombradía y es desconocido en su patria». Lo curioso del caso es no sólo que Ricardo de Orueta —éste era su nombre— asemejaba a Picasso con Anglada y Zuloaga, sino que hubiera de hacer gestiones ante las representaciones diplomáticas españolas para descubrir si Picasso seguía siendo español o habría perdido su nacionalidad. Hubo una respuesta de un embajador, el de París, que no tiene desperdicio. El embajador escribió en septiembre de 1933, juzgando «incalificable la conducta de este señor». «Desde que llegué», decía, «aproveché todas las ocasiones para invitarle, ya a las fiestas generales, ya incluso a almuerzos y cenas de pocas personas». «No he conseguido nunca», añadía, «ni siquiera que contestase, y constándome que estaba en París y en su casa, no he conseguido nunca ni siquiera que viniese al teléfono cuando le hice llamar». Y concluía: «Considero francamente grosera la conducta de Picasso para conmigo personalmente y para el embajador de su país, y le digo a usted, con toda franqueza, que me parecerá deplorable que hagan ustedes nada oficial por él, mientras no justifique su conducta a este respecto para con el embajador de España». Quien así escribía no era un hombre carente de sensibilidad: se llamaba Salvador de Madariaga. El director general, que también la tenía, respondió a vuelta de correo: «Claro está que después de su carta queda totalmente desechado el proyecto, pues yo no puedo realizar nada que signifique un homenaje oficial a quien no guardó las más elementales normas de cortesía con el representante oficial de su patria». Así concluyó este proyecto. No conocemos la reacción de Picasso frente a él sino por el testimonio de Ernesto Giménez Caballero, quien le vio en 1934 en San Sebastián y ha escrito que el pintor ironizó acerca de la incapacidad del Estado español para pagar los seguros de la

14. MADRE CON NIÑO MUERTO (I)

9 de mayo de 1937.
240 × 453 mm. (9 1/2 × 17 7/8 in).
Grafito y pluma sobre papel de dibujo blanco.

Firmas e inscripciones: Inf. izq.: 9. Mai. 37 (I).

Bibl.: Zervos IX, lám. 14, pág. 7. Larrea; lám. 51. Arnheim; lám. 14, pág. 68. Russell; lám. 14, pág. 166. Palau i Fabre; lám. 14, pág. 56. Blunt; lám. 25 b, pág. 48.

N.º Reg.: MOMA: E.L. 39. 1093. 21.
  M. PRADO (Casón): 121.

En este boceto Picasso utiliza la pluma por vez primera y con ella acentúa más los detalles y la expresión. Aísla la figura de la madre con el niño en un esquema triangular.

Russell señala como rasgo muy importante:
«La sangre (que) corre por las venas de esta robusta escultura, y se agolpa en un abanico que afirma la unidad entre la amplia curva de la garganta del niño y el pecho izquierdo de la madre.»

exposición prometiendo sólo la custodia de la Guardia Civil sobre sus cuadros. La cita textual de la conversación entre Giménez Caballero y Picasso, en la que participó también José Antonio Primo de Rivera, sería, según testimonio del primero, la siguiente:

—¿Y por fin se celebra esa exposición suya en Madrid?

—Lo dudo. Resulta que el año pasado me mandaron un representante de la República para organizar esa exposición en Madrid. Mis marchantes, los propietarios de mis cuadros, y yo mismo, hicimos en seguida la más elemental observación, suponiéndola resuelta de antemano: el seguro de las telas. «No tenemos dinero para eso —*me respondió ingenuamente el delegado oficial—*, pero... podríamos poner Guardia Civil por la vía del tren.» (¡Ja, ja, ja!)

Entre los que rodeábamos a Picasso —todos fascistas— estaba José Antonio Primo de Rivera.

—Algún día nosotros pondremos para recibirle una Guardia Civil, pero como honor, y tras haberle asegurado su pintura —*dijo José Antonio.*

Picasso quedó sonriente y subrayó:

—El único político español que habló de mí elogiosamente como gloria nacional, en un artículo publicado en Norteamérica, fue su padre, el General Primo de Rivera...».

Existía, pues, un alejamiento evidente entre Picasso y la Administración española. Dramáticos acontecimientos de nuestra historia hicieron que bruscamente desapareciera. Cuando estalló la guerra civil, el pintor estaba pasando por una crisis sentimental (la aparición de Marie Therese Walter y Dora Maar en su vida), que tuvo su traducción pictórica y otra, ideológica, que le llevó al compromiso político y social. La Administración, en su porción que siguió al Frente Popular en la guerra civil, necesitaba del apoyo de los intelectuales para su propaganda. De esta coincidencia nacería el Guernica.

El primer acercamiento de la España del Frente Popular a Picasso, una vez iniciada la guerra civil, no tuvo que ver, sin embargo, con ningún encargo concreto ni con ninguna exposición colectiva. Según él mismo ha contado, fue empresa personal —hasta el punto de que no consultó inicialmente a su propio ministro— del director general de Bellas Artes, Josep Renau. Consistió en el ofrecimiento de la Dirección del Museo del Prado al artista más universal que entonces tenía España: Picasso. Fue respondida con una carta de aceptación entusiasta para la causa frentepopulista, que, por desgracia, se ha perdido. A esta respuesta afirmativa le siguió el nombramiento del pintor por el ministro del ramo. Pero la burocracia seguía quizá ignorando a Picasso: el decreto firmado por Azaña en septiembre de 1936 hubo de ser rectificado porque había trastocado los apellidos del pintor. Sin embargo, en su carta,

15. ESTUDIO DE COMPOSICION PARA «GUERNICA» (VII)

9 de mayo de 1937.
240 × 453 mm. (9 1/2 × 17 7/8 in).
Grafito sobre papel de dibujo blanco.

Firmas e inscripciones: Centro der.: 9. Mai. 37 (II).

Bibl.: Zervos IX, lám. 18, pág. 9. Larrea: lám. 52. Arnheim; lám. 15, pág. 71. Russell; lám. 15, 168. Palau i Fabre; lám. 15, pág. 57. Blunt; lám. 15, pág. 33.

N.º Reg.: MOMA: E.L. 39. 1093. 6.
M. PRADO (Casón): 122.

Boceto de composición total de mucha más carga expresiva que los anteriores (n.º 6, 7 y 11), en el cual se ve el esbozo que hace para la conjunción total de todos los elementos.

Aparece por única vez una rueda como elemento central. Es notable la parte inferior con sus figuras contorsionadas y yacentes. Resalta el poderoso uso del color negro que hace el artista, ensayo, sin duda, de las tonalidades que utilizará en el «Guernica».

Por las ventanas de las construcciones aparecen numerosos brazos humanos con los puños cerrados, que luego desaparecerán en el cuadro definitivo.

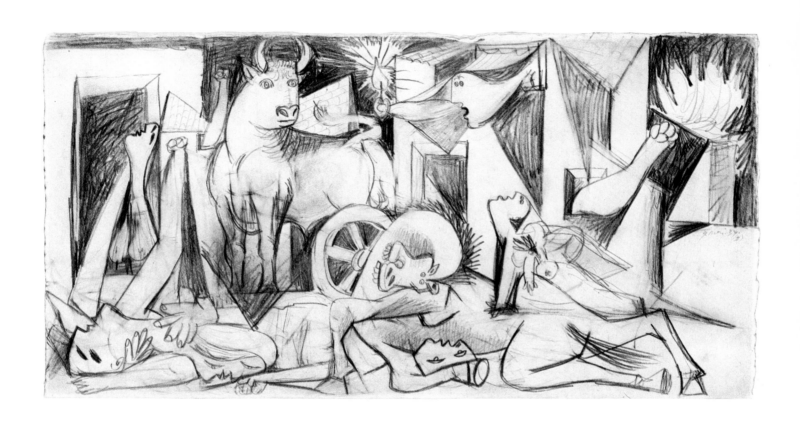

el futuro autor del Guernica *había dicho que nunca se había sentido tan español y tan compenetrado con la causa que se estaba ventilando.*

2. EL PABELLON DE LA REPUBLICA ESPAÑOLA EN LA EXPOSICION INTERNACIONAL DE PARIS (1937)

Picasso tendría pronto la ocasión de probar su solidaridad. A finales de 1936 Josep Renau visitó a Picasso en París y ambos debieron hablar acerca de la posible colaboración del segundo con la causa del Frente Popular. Es muy posible que otros emisarios del gobierno español intervinieran cerca del pintor malagueño. Desde luego por las mismas fechas otro personaje, Luis Araquistain, embajador de la República ante Francia, estaba tomando la iniciativa de una gestión que posibilitó la creación del Guernica. *Se trataba del Pabellón español en la Exposición de 1937. Conviene que nos detengamos en este punto verdaderamente crucial para comprender las circunstancias en las que fue pintado el* Guernica. *Como el lector puede fácilmente imaginar no pretendemos ni remotamente referirnos al significado de dicho Pabellón o de las obras que contenía para la Historia del Arte español o universal, que, en todo caso, son abordadas por otro de los autores del catálogo. Se pretende tan sólo descubrir el sentido que el Gobierno de la República española quería dar a su participación en dicha exhibición como procedimiento para aproximarnos al significado concreto de la creación artística de Picasso.*

Desde 1934 se venía preparando en París una Exposición Internacional de Artes y Técnicas. La participación española venía dificultada por la guerra, pero el embajador Araquistain pensaba, al concluir 1936, que era necesario que se produjera, y precisaba, en carta a su ministro, las razones: «Parece conveniente participar en la exposición y dar inmediatamente los pasos necesarios para ello, dando así la sensación de seguridad y de que el Gobierno sigue trabajando en cosas de este tipo. En el peor de los casos, y si no fuera fácil que participasen expositores privados, sería siempre posible hacer un pabellón poco costoso, pero decoroso, y exponer obras de arte, propaganda, etcétera».

Quedaba así definida la función del pabellón como testimonio de la preocupación cultural del Gobierno republicano, como garantía de normalidad de un Estado (se trataría de una exhibición estatal no de particulares), como instrumento de propaganda de una causa bélica y, en fin, con un contenido artístico no predominaba como rasgo general en el resto de los pabellones. Las tesis de Araquistain fueron puntualmente seguidas, y no sólo en su generalidad, sino también en los detalles: siguiendo su opinión, se destituyó al comisario previsto, de cuya opinión política no se tenía seguridad, y se nombró a dos jóvenes arquitectos, Lacasa y

16. MADRE CON NIÑO MUERTO EN ESCALERA (I)

9 de mayo de 1937.
453 × 240 mm. (17 7/8 × 9 1/2 in)
Grafito sobre papel de dibujo blanco.

Firmas e inscripciones: Inf. izq.: 9. Mai 37 (III).

Bibl.: Zervos IX, lám. 16, pág. 8. Larrea: lám. 54. Arnheim: lám. 16, pág. 73. Russell: lám. 16, pág. 188. Palau i Fabre: lám. 16, pág. 58.

N.º Reg.: MOMA: E.L. 39. 1093. 20.
            M. PRADO (Casón): 123.

Obs.: Aparece una mancha aparentemente de pintura en la pierna derecha de la madre.

En este dibujo la madre con su hijo muerto en brazos aparece huyendo por una escalera.

Para Arnheim este tema de la escalera lo utiliza ya Picasso en la Minotauromaquia:

«La madre baja por la escalera para huir de la casa en llamas. Ha sido descubierta la necesidad de un movimiento hacia abajo a la derecha, pero un mero descenso sería demasiado débil para contrarrestar y equilibrar el toro del "Guernica".»

La cabeza de la madre destaca como la parte más trabajada.

9.mai.37 (III)

Sert, para la redacción del proyecto. A comienzos de febrero de 1937, Azaña firmaba el decreto de nombramiento de José Gaos como comisario general. Luego le acompañarían, con la misma categoría, Gassol y Uzelay y, como adjuntos, Aub y Vaamonde.

No es cuestión aquí, como ya hemos señalado (por supuesto el autor carece de especialización para ello) de recalcar lo que significa el pabellón en la historia de la arquitectura española. Sí que interesa, en cambio, señalar que, como iniciativa estatal, ha dejado abundantes rastros documentales en los archivos públicos españoles, y en especial en el de la guerra civil de Salamanca y en el de la Administración de Alcalá de Henares. Sabemos, a través de ellas, de las dificultades económicas sufridas por los comisarios. Conocemos también las palabras pronunciadas por Araquistain en el momento de colocarse la primera piedra (1). De acuerdo con ellas, la participación española quería mostrar «la confianza absoluta en el porvenir de la República», un régimen para el que la guerra no era sino «un accidente, un mal impuesto y transitorio». Concluido el pabellón, el propio Araquistain manifestaría su satisfacción: era «demasiado pequeño, pero de buen gusto y adecuadas proporciones». No sería él, sin embargo, sino su sucesor, Angel Ossorio y Gallardo, el encargado de inaugurarlo.

Hay una anécdota relacionada con la exposición, bien expresiva de la división de los españoles, incluso en el seno de sus mismas familias, durante la guerra civil. En agosto de 1937, Ossorio y Gallardo informaba a su superior, el ministro de Estado, José Giral, que Gaos, el comisario republicano, había visitado el pabellón vaticano y había encontrado allí una presencia, subrepticia, por la carencia de representación diplomática en Francia, de la España de Franco. «Hay, decía, «una capilla española constituida por un retablo con una gran pintura de Sert —el gran decorador, tío de nuestro arquitecto—, cuyo título es, según la guía del pabellón, «Santa Teresa presenta a Nuestro Señor Jesucristo los mártires españoles de 1936». Habían sido «católicos españoles», sin duda nacionalistas, los que habían financiado su construcción.

Para el pabellón español, en este clima bélico y de enfrentamiento brutal entre las dos Españas pintó Picasso el Guernica. Aunque el proceso de su creación de alguna manera se hubiera iniciado en enero de 1937 con la primera muestra artística de su solidaridad con la República del Frente Popular, fue, como advierte Renau, a los nueve meses de iniciada la contienda, como si ésta hubiera inseminado al genio picassiano cuando la empezó. Pero lo que nos interesa ahora no es la gestación del cuadro, sino el contexto espiritual en que se creó y, sobre todo, la relación del Estado español con esta tarea creativa. El Guernica estuvo, antes del 10 de septiembre de 1981, en territorio español (el del pabellón, que tenía esta condición) y fue montado, como todo él, por personal dependiente de la Dirección General de

17. ESTUDIO PARA EL CABALLO (I)

10 de mayo de 1937.
241 × 456 mm. (9 1/2 × 18 in)
Grafito sobre papel de dibujo blanco.

Firmas e inscripciones: Inf. der.: 10. Mai 37 (I).

Bibl.: Zervos IX, lám. 17, pág. 9. Larrea: lám. 56. Arnheim: lám. 17, pág. 75. Russell: lám. 17, pág. 190. Palau i Fabre: lám. 17, pág. 59. Blunt: lám. 17 b, pág. 37.

N.º Reg.: MOMA: E.L. 39. 1039. 11.
M. PRADO (Casón): 124.

Estudio detallado de la figura agonizante del caballo, búsqueda, sin embargo, de una postura distinta a la más utilizada por Picasso del caballo agonizando con la cabeza erguida, esta postura será después la que permanezca en el cuadro definitivo.

10. Mai 37. (2)

Bellas Artes. Era lógico que fuera así porque se trataba de una exposición del Estado de todos cuyos objetos y gastos los organizadores debieron dar puntual cuenta. Sabemos que lo hicieron, pero también que gran parte de la documentación se perdió una vez remitida a España en plena desbandada final republicana. Curiosamente, sin embargo, nos ha quedado la factura de las fotografías que Dora Maar, amante e inspiradora de Picasso, realizó a medida que avanzaba la ejecución del cuadro que luego se denominó Guernica *(2).*

Pero si existe tal evidencia de la intervención estatal en todos los aspectos de la ejecución y exhibición del cuadro, ¿cómo se explica que el embajador Angel Ossorio y Gallardo no lo retirara y lo enviara a España al clausurarse la muestra? En parte, probablemente, porque sus gustos en arte eran bastante tradicionales y no dio importancia a la cuestión. Cuando se planteó la posibilidad de una prolongación de la Exposición Ossorio parece haber pensado mucho más en una exhibición de artesanía o de arte religioso como para probar que el culto se mantenía en la zona del Frente Popular (Ossorio era un católico progresista). Desde luego en ningún momento pensó hacer una exposición de arte de vanguardia. En diciembre de 1937 escribía a Madrid, en contra de la opinión de su antecesor, que en el pabellón «faltaban cosas» y «resultaba bastante deslucido», por lo que era preciso «desquitarnos un poco de la pobreza con que hemos actuado». Quizá, sobre todo, no se ocupó del Guernica *porque ignoraba el acuerdo peculiar al que con anterioridad habían llegado Picasso y la Embajada de España.*

3. LA RELACION ENTRE LA ADMINISTRACION Y PICASSO

Una cuestión (y decisiva) que durante años y, por supuesto, en el curso de toda la negociación para traer el Guernica *ha podido estar poco clara ante la opinión pública ha sido si España pagó por el cuadro, cuánto y si este pago le daba derecho a la propiedad del mismo. Las opiniones en respuesta a esta pregunta han sido contradictorias, cuando no absolutamente erradas.*

Ahora ya es posible revelar lo realmente sucedido. La respuesta se encuentra en el archivo de Luis Araquistain, localizado por Rafael Fernández Quintanilla y comprado a sus herederos, en Suiza, por el Ministerio de Cultura, a través de la Dirección General de Bellas Artes, Archivos y Bibliotecas, para el Archivo Histórico Nacional. En él se encuentra, en primer lugar, una carta del agregado cultural de la Embajada, Max Aub, fechada el 28 de mayo de 1937. En su párrafo decisivo dice lo siguiente: «Esta mañana llegué a un acuerdo con Picasso. A pesar de la resistencia de nuestro amigo a aceptar subvención alguna de la Embajada por la realización del Guernica, *ya que hace*

18. ESTUDIOS PARA EL CABALLO

10 de mayo de 1937.
454 × 243 mm. (17 7/8 × 9 5/8 in)
Grafito sobre papel de dibujo blanco.

Firmas e inscripciones: Sup. centro: 10. Mai 37 (II).

Bibl.: Zervos IX, lám. 21, pág. 10. Larrea: lám. 58. Arnheim: lám. 18, pág. 77. Russell: lám. 18, pág. 192. Palau i Fabre: lám. 18, pág. 60. N.º Reg.: MOMA: E.L. 39. 1093. 12.
     M. PRADO (Casón): 125.

Estas dos cabezas dibujadas del caballo contrastan ampliamente con las anteriores, pues en vez de adoptar una postura lastimera aparecen denotando una gran potencia y una indudable agresividad, que se realza incluso con el cierto aire antropomórfico de los rostros equinos.

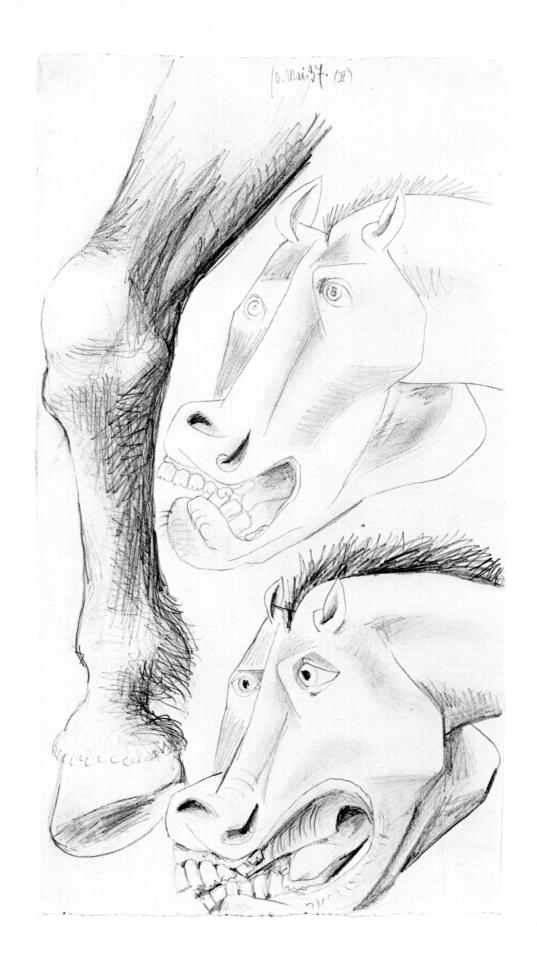

donación de este cuadro a la República Española, he insistido reiteradamente en transmitirle el deseo del Gobierno español de reembolsarle al menos los gastos que ha incurrido en su obra. He podido convencerle y de esta suerte le he extendido un cheque por valor de 150.000 francos franceses, por los que me ha firmado el correspondiente recibo. Aunque esta suma tiene más bien un carácter simbólico, dado el valor inapreciable del lienzo en cuestión, representa, no obstante, prácticamente una adquisición del mismo por parte de la República. Estimo que esta fórmula era la más conveniente para reivindicar el derecho de propiedad del citado cuadro» (3).

La documentación de esa fecha se complementa con un resumen de cantidades entregadas por la Embajada de París, entre octubre de 1936 y mayo de 1937, que importa 4.300.000 francos. En esta relación figuran colaboradores españoles de la causa republicana, como Buñuel o Quintanilla, y extranjeros tan conocidos como Arthur Koestler o Pietro Nenni. Picasso figura con la cantidad indicada, y en una de las listas, con la mención, entre paréntesis, «Gastos Guernica» (4).

Araquistain no sólo conservó estos papeles. Hizo más: a comienzos de 1953 se dirigió a Julio Alvarez del Vayo, su superior como ministro de Estado durante su período de embajador, solicitándole el recibo del pintor firmado en 1937. La respuesta que recibió fue que en la evacuación de Barcelona (1939) no pudo Alvarez del Vayo, por obvias razones, ocuparse de la custodia del archivo del Ministerio, y que, en todo caso, probablemente en Figueras desapareció, si se hubiera conservado hasta entonces.

Alvarez del Vayo coincidía con Araquistain en la necesidad de dejar testimonio de lo sucedido, y para ello firmaba una certificación coincidente con lo expuesto por Max Aub. No dudaba, de todas maneras, de que «ni por un momento este amigo, si algún día recuperamos la República, ratificará la donación que hiciera del Guernica al Gobierno republicano» (5).

En su archivo, finalmente, Araquistain, cuya actuación en toda esta cuestión fue ejemplar, dejó también testimonio de una carta de 1953. En ella recordaba todo lo sucedido, pero introducía también alguna nueva información: la cantidad pagada tenía un valor simbólico, «pero al mismo tiempo implicaba y confirmaba en sí su deseo de usted de hacer donación del cuadro a la República». Esta curiosa relación implicaba, después de la derrota republicana, que «el cuadro se encuentre en su poder de usted y no haya recalado en la España actual, donde probablemente lo habrían destruido en un auto de fe por su significación política e histórica». Araquistain decía más: estaba de acuerdo en que Picasso conservara el cuadro bajo su custodia mientras Franco viviera, «pero podía suceder que surgiera otra alternativa histórica, no la resucitada República de 1936; esto es, una Monarquía constitucional y democrática». En ese

19. CABEZA DE TORO CON ROSTRO HUMANO

10 de mayo de 1937.
454 × 239 mm. (17 7/8 × 9 1/2 in)
Grafito sobre papel de dibujo blanco.

Firmas e inscripciones: Inf. izq.: 10. Mai 37 (III).

Bibl.: Zervos IX, lám. 20, pág. 10. Larrea: lám. 59. Arnheim: lám. 19, pág. 79. Russell: lám. 19, pág. 194. Palau i Fabre: lám. 19, pág. 60. Blunt: lám. 18 b, pág. 38.

N.º Reg.: MOMA: E.L. 39. 1093. 15.
M. PRADO (Casón): 126.

Por contraste con la transformación» del rostro del caballo aparece aquí la faz humanizada del toro provista de una indudable belleza clásica. Es de señalar la gran expresividad de los ojos abiertos de este rostro, y ya es tópico compararlos con los del artista.

10. Mai. 37. (III)

caso, había que acatarla y «no tendría usted más remedio, amigo Picasso, que ir a Madrid para tomar posesión de ese cargo y poder así colgar personalmente el Guernica *en la sala Picasso de un Museo del Prado, del que sería de nuevo director» (6). Eso es precisamente lo que en octubre de 1981, muchos años después, iba a hacerse.*

La transacción entre Araquistain y Picasso a través de Aub permaneció confusamente conocida a través del tiempo. La razón estriba en las propias características del pago y de la contrapartida de Picasso. En noviembre de 1965, mucho tiempo después, Aub escribió a Renau una carta que es conocida desde hace tiempo, en la que hablaba —correctamente— del pago, pero no mencionaba la contrapartida, y advertía que se había hecho «con la condición de que el cuadro siguiera siendo suyo» (de Picasso). Quizá lo hacía para evitar que el cuadro volviera a la España de Franco, pero la realidad es que ocultó parte de lo sucedido.

De hecho, la misma cantidad pagada demuestra que Picasso no sólo recibió una compensación por gastos. 150.000 francos era una cifra muy elevada en la época, casi el 15% de lo que costó el pabellón. Las cotizaciones de Picasso en los últimos años no habían pasado de 17.000 francos por cuadro, y lo que ahora recibía, me contó Renau, era la cantidad de dinero más elevada que nunca había visto junta.

*Con ella pudo cambiarse a un estudio más amplio (*Grands Augustins*); sólo años después, en los cuarenta, una obra suya, nada menos que* Les demoiselles d'Avignon *recibía, precisamente del Museo de Arte Moderno, de Nueva York, una cotización semejante.*

Resumamos, para concluir. España pagó por el Guernica *una suma elevada con el manifiesto propósito de que se mantuviera en su poder. Picasso pintó el cuadro no por dinero, sino por solidaridad; por ello, y quizá también por el afecto que por él sentía, mantuvo, incluso en el recibo, su propiedad, pero sabía que tenía una obligación moral de donarlo que claramente había expresado en su día. Su cuadro desde el primer momento había servido a la causa del Frente Popular y, además, entregó para su exhibición varias esculturas de una de las cuales, «La Femme du Vase», hizo donación a la República y por ello pertenece ahora al Estado español.*

El tiempo pasado y la duración del régimen franquista han contribuido desde luego a hacer más difícil de comprender la relación entre Picasso y la Administración sobre el cuadro.

Con lo dicho se comprenderá la dificultad de la negociación que siguió. Quienes colaboramos en ella sabíamos de la voluntad del Estado de considerar la transacción como una compra, pero ello hubiera sido difícil de probar judicialmente. Y, por supuesto, y sobre todo, teníamos una documentación que tenía como fallo fundamental la carencia de documentos firmados por el propio Picasso.

20. ESTUDIO PARA EL CABALLO (II)

10 de mayo de 1937.
242 × 456 mm. (9 5/8 × 18 in)
Grafito y barra de color sobre papel de dibujo blanco.

Firmas e inscripciones: Sup. der.: 10. Mai 37 (IV).

Bibl.: Zervos IX, lám. 19, pág. 10. Larrea: lám. 57. Arnheim: lám. 20, pág. 81. Russell: lám. 20, pág. 196. Palau i Fabre: lám. 20, pág. 61.

N.º Reg.: MOMA: E.L. 39. 1093. 13.
   M. PRADO (Casón): 127.

Primera de las pruebas de color para el cuadro final. Picasso parece tantear el posible cromatismo del cuadro resaltando por el intenso amarillo del fondo, que nos sugiere que Picasso pudiera haber pensado en un cromatismo similar al de su «Crucifixión» de 1931 para el «Guernica».

4. PRIMEROS INTENTOS DE RECUPERACION DEL «GUERNICA»

Después de desmontada la exposición parisina de 1937 el Guernica *se convirtió en uno de los cuadros más viajeros de la Historia de la Pintura universal. El recorrido que llevó a cabo hasta 1957 es explicado en otra parte del presente catálogo por el profesor Chipp y no tiene directamente que ver con el objeto del presente estudio. Sí que nos interesa recalcar, sin embargo, que Picasso dejó bien clara la vinculación entre el cuadro y la patria que le vio nacer. Es más, el* Guernica *seguía siendo, aunque por supuesto se le considerara desde el principio como mucho más que eso, un instrumento destinado a la propaganda y defensa de una determinada causa como era la de la República. En su biografía de Picasso cuenta Sir Roland Penrose que en la exhibición del* Guernica *en Londres el año 1938 le ocurrió algo semejante a lo que ya le había sucedido en la propia exposición parisina: el ser mostrado no muy lejos de otra muestra artística y de propaganda de la España adversaria, en este caso representada por Zuloaga. La exhibición del* Guernica *había venido precedida de temores por el posible estallido de una guerra europea, pero, a pesar de ello, el propio Picasso insistió en la exposición precisamente por el carácter beligerante y combativo del cuadro.*

También como instrumento de combate político viajó a Nueva York en 1939. Fue una asociación destinada a la defensa de los exiliados republicanos españoles la que organizó el envío del Guernica *a los Estados Unidos. Por vez primera se mostraría, acompañado de ese conjunto de estudios preparatorios y obras posteriores que ahora denominamos «Legado Picasso» en la Valentine Gallery de Nueva York. La exhibición fue patrocinada por distinguidas figuras españolas (Juan Negrín y Julio Alvarez del Vayo), pero también por personalidades muy conocidas del mundo político e intelectual neoyorquino. En el breve catálogo editado para la ocasión figuraban como patrocinadores el alcalde La Guardia, el secretario del Interior Ickes, la señora de Roosevelt, Max Weber, Hemmingway, Sweeney, el galerista Pierre Matisse, etc. También en el resto de su periplo estadounidense la obra maestra de Picasso era exhibida en beneficio de los refugiados republicanos, con un exilio de público variable pero que le permitió empezar a ser divulgada como importantísima obra maestra de su autor.*

Hasta 1957 el Guernica *prosiguió su tradición viajera, pero desde 1953 ya no lo hizo con un sentido de propaganda de uno de los dos bandos de la guerra civil, sino en su condición de obra muy relevante del arte del siglo XX. Sin embargo para los españoles disconformes con el régimen político existente en España seguía siendo un importante símbolo de disidencia. En cierta manera lo era también para quienes representaban a España en el exterior y, por ello, merece la pena destacar cuál fue la actitud del Estado español o de*

21. MADRE CON NIÑO MUERTO EN ESCALERA (II)

10 de mayo de 1937.
457×244 mm. (18×9 5/8 in)
Grafito y barra de color sobre papel de dibujo blanco.

Firmas e inscripciones: Inf. izq.: 10. Mai 37 (V).

Bibl.: Zervos IX, lám. 15, pág. 7. Larrea: lám. 55. Arnheim: lám. 21, pág. 83. Russell: lám. 21, pág. 198. Palau i Fabre: lám. 21, pág. 62. Blunt: lám. 16 b, pág. 35.

N.º Reg.: MOMA: E.L. 39. 1093. 23.
M. PRADO (Casón): 128.

Al igual que en boceto n.º 16 la madre con el niño muerto aparece huyendo por la escalera. Es un estudio de color totalmente expresionista en el cual domina el amarillo del fondo con la violencia de los rojos y azules. El color negro de las llamas acentúa la agresividad de la composición.

49

sus representantes en el transcurso de estos viajes por Europa, lo que se puede juzgar a través de los despachos diplomáticos correspondientes. Desde luego, tanto en ellos como en la prensa de los países por los que el cuadro fue pasando, hubo una radical ignorancia de quién era el propietario del cuadro; en todos los casos se decía que pertenecía al museo, o bien, al pintor, pero no tenía ningún derecho a ella el Estado español. En cuanto al juicio acerca de la obra, en general, los despachos diplomáticos nos muestran una apreciación creciente del pintor, aunque no tanto del Guernica *y un temor indudable a la vinculación entre la genialidad artística de Picasso y su repudio del régimen franquista. Desde luego, en todo caso, posiciones personales matizaban estas apreciaciones. Mientras que para algunos representantes de España en el exterior el* Guernica *era «pura política pintada», que aludía al «cliché manoseado» del bombardeo de Guernica, otros se congratulaban de la* moderación *con que el cuadro fue presentado en ocasiones en Europa, a lo sumo lamentando que la presentación del cuadro no se hubiera podido ver libre de «alusiones no muy favorables a la guerra de liberación».*

Narremos tan sólo una anécdota: cuando en julio de 1955 se presentó en una capital europea el cuadro, un representante del Estado español se quejó ante el director de un periódico católico por la «indudable exageración» de considerar el cuadro como una obra maestra de la pintura, pero, sobre todo, por sugerir que el bombardeo había sido tan catastrófico como se mostraba cuando, según este representante del régimen, el tema del Guernica *no era sino «una trompeta de propaganda». En todo caso, desde luego, no existía ninguna voluntad de recuperación de la obra de Picasso.*

Pero, de alguna manera, Picasso tenía previsto ya el destino final del cuadro de acuerdo con los compromisos morales que tenía con la República. Casi siempre y, desde luego, en toda ocasión antes de 1953, el Guernica *se había exhibido en beneficio de los exiliados españoles, siendo él mismo un exiliado. Además, Picasso, de alguna manera, al depositarlo en el Museo de Arte Moderno de Nueva York, lo había distinguido con un tratamiento especial que preludiaba su futuro destino. Pero, por el momento, mucho quedaba aún por precisar. La primera gestión de carácter oficial para la vuelta del* Guernica *a España se hizo en una fecha muy temprana; y aunque estaba destinada, precisamente por ello, a un rotundo fracaso, sin embargo, como tendremos ocasión de comprobar, tuvo una repercusión indirecta, pero muy importante, en todo el proceso negociador posterior.*

Desde mediados de 1968 parece haber existido la voluntad por parte de la Administración exterior española y la Dirección General de Bellas Artes de descubrir el complejo entramado legal del Guernica *en Nueva York. A finales del año, el entonces director general de Bellas Artes,*

22.   TORO CON ROSTRO HUMANO

11 de mayo de 1937.
239 × 455 mm. (9 1/2 × 18 in)
Grafito sobre papel de dibujo blanco.

Firmas e inscripciones: Inf. izq.: 11. Mai 37.
Bibl.: Zervos IX, lám. 23, pág. 12. Larrea: lám. 60. Arnheim: lám. 22, pág. 84. Russell: lám. 22, pág. 200. Palau i Fabre: lám. 22, pág. 63.

N.º Reg.: MOMA: E.L. 39. 1093. 16.
        M. PRADO (Casón): 129.

Obs.: Se observa un desplazamiento en las patas traseras.

Frente a la agresividad de los últimos rostros del caballo, esta figura contrasta por su aire de tristeza y melancolía.

En este rostro se acentúa el clasicismo ensayado en el boceto n.º 19.

Para Arnheim: «Más que un hombre con cabeza de animal, es un animal con una cabeza sublimemente humana; es decir, en vez de un ser humano impulsado por instintos bestiales, vemos la naturaleza refinada hasta el más alto estado de humanidad».

Sin embargo, podemos apreciar rasgos femeninos en el rostro que, según testimonio de Russell, corresponden a los de Dora Maar.

Florentino Pérez Embid, redactó una nota destinada a la posible recuperación del Guernica *y la remitió al almirante Carrero Blanco. Pérez Embid, monárquico, muy conservador, sin ninguna veleidad falangista en su vida y, desde luego, gestor brillante, debió preparar la nota teniendo muy en cuenta quién habría de ser su destinatario final (es decir, el propio Franco). Por eso decía de Picasso que estaba considerado en el mundo «como el primer gran nombre en la historia de la pintura después de Goya», pero, sobre todo, añadía que, «según es frecuente entre los artistas, en algunas ocasiones ha adoptado actitudes políticas estrafalarias, nunca coherentes ni sostenidas durante mucho tiempo».*

Para excitar la veta nacionalista de quien habría de leerle, Pérez Embid añadía que la política cultural francesa había tratado en repetidas ocasiones de identificarse con este país, pero que Picasso seguía siendo español y «el Estado español es propietario del más famoso y pictóricamente más importante de los cuadros de Picasso», el Guernica. *De dicho cuadro decía que «la propaganda antiespañola de los años de la guerra exageró la significación del cuadro, atribuyéndole una desmesurada carga política». En la idea del director general de Bellas Artes estaba además la potenciación de un Museo español de Arte Contemporáneo de próxima creación y en el que, por desgracia, no habría —ni sigue habiendo— una suficiente representación de nuestros más importantes artistas del siglo XX.*

La nota de Pérez Embid, fechada en noviembre, fue respondida a principios de diciembre de 1968 por Carrero Blanco. La respuesta del almirante fue precisa: «De acuerdo con nuestra conversación del otro día», decía, «he consultado con el Caudillo la conveniencia de proceder a las gestiones necesarias para la recuperación del cuadro Guernica, *de Pablo Picasso, y me ha dado su conformidad de que se lleven a cabo». Carrero sugería que la documentación fuera buscada por la propia Dirección General de Bellas Artes y la gestión para traer el cuadro la llevara a cabo el Ministerio de Asuntos Exteriores (7).*

Pérez Embid encargó a Joaquín de la Puente, entonces subdirector del Museo de Arte Contemporáneo, hacer la gestión para documentar la petición española y, más adelante, en febrero de 1969, intentar un contacto directo con el pintor exiliado. En dicho contacto, en el que parece haber jugado un papel importante el torero Luis Miguel Dominguín, Pérez Embid hacía una oferta concreta a Picasso por procedimiento indirecto, pero escrito: «Creo», decía en una carta dirigida a De la Puente, «que tenemos el deber de ofrecer a Picasso tanto cuanto se pueda y él se merece, de estar dispuesto a que el cuadro Guernica *venga a España. A su llegada a Madrid, no estando aún construido el importante museo que proyectamos para nuestro arte contemporáneo,* Guernica *sería mostrado al público en el Museo del Prado. En el edificio, que creemos sensacional para Museo Español de Arte Contemporáneo, la obra de Pi-*

23. CABEZA DE MUJER (I)

13 de mayo de 1937.
454 × 240 mm. (17 7/8 × 9 1/2 in)
Grafito y barra de color sobre papel de dibujo blanco.

Firmas e inscripciones: Inf. der.: 13. Mai 37 (I).

Bibl.: Zervos IX, lám. 22, pág. 11. Larrea: lám. 63. Arnheim: lám. 23, pág. 87. Russell: lám. 23, pág. 204. Palau i Fabre: lám. 23, pág. 64. Blunt: lám. 25 a, pág. 48.

N.º Reg.: MOMA: E.L. 39. 1093. 28.
          M. PRADO (Casón): 130.

Esta cabeza de mujer cuya mayor expresión está centrada en torno a la boca, dibujada con un gran detalle, está muy relacionada con las figuras femeninas deformes realizadas por Picasso al principio de la década de los años 30.

En cuanto al color, muy importante, vemos cómo el artista sigue pensando en un fondo amarillo para el cuadro.

casso se expondrá exactamente como él quiera. Incluso cabe perfectamente la posibilidad de hacer junto a ese nuevo edificio un pabellón que alojase todo cuanto pudiéramos reunir de la obra de Picasso, y fuese, de hecho, a manera de monumento a su genialidad ibérica».

La oferta tuvo, desde luego, una negativa por parte del pintor. En noviembre de 1969, la Prensa francesa y la norteamericana transmitía una toma de postura de su abogado, Roland Dumas, en la que se rechazaba la posible vuelta del cuadro y se hablaba de que sólo se podría producir una vez restablecido el régimen republicano en España (8). Pero también el intento habría de tener su repercusión negativa en la propia España. Aunque ya por aquellos tiempos Picasso era considerado como una gloria nacional en casi todos los ambientes intelectuales, hubo algún sector del régimen, más radicalizado, que publicó en un órgano de expresión propio que «pretender que ese cuadro entre en España es un insulto al patriotismo, aunque no está de moda, lo tenemos en el corazón, y un desprecio a los muertos que hicieron posible que la nación siga marchando... Sin el cuadro Guernica y sin Picasso hemos vivido muy tranquilos los españoles y no tenemos añoranza de lo que ambas cosas representan».

Esta primera gestión todavía se habría de prolongar meses más adelante. En realidad, con independencia del alejamiento radical entre Picasso y el régimen franquista, lo cierto es que el pintor iba regresando, en espíritu, a su España natal, donde era crecientemente apreciado aunque, desde luego, al margen de los medios oficiales. Como se sabe, en 1970 quedó constituido el Museo Picasso, y en abril del mismo año se pensó seriamente, por parte de la Dirección General de Bellas Artes, en la concesión de la medalla de oro al pintor. En la documentación que se conserva se da la sensación de que la idea del retorno del Guernica no se había, en absoluto, considerado como inviable. Es más, por entonces, tanto Pérez Embid como González Robles, director del Museo de Arte Contemporáneo que se estaba concluyendo, manifestaron su deseo de que en él llegara a figurar el Guernica en su sala principal.

Picasso, entonces, se decidió definitivamente a adoptar una postura como consecuencia de las ya repetidas referencias de la Prensa a la cuestión. Dicha toma de postura tuvo como instrumento una carta de dos páginas dirigida a su abogado, Roland Dumas, y destinada al Museo de Arte Moderno de Nueva York. La carta empieza por hacer una declaración del mayor interés: «El cuadro conocido bajo el nombre de Guernica fue confiado al Museo de Arte Moderno de Nueva York (por Picasso) en 1939, así como los estudios y dibujos relacionados con él que no pueden ser separados de la obra principal». De ahí deriva, en definitiva, la propiedad española de algo que España nunca encargó, es decir, este conjunto de 63 piezas que ahora se exhiben en el Casón del Buen Retiro. Picasso proseguía: «Desde hace largos años he hecho donación igualmente de este cuadro, de los

24. MANO CON ESPADA ROTA

13 de mayo de 1937.
239 × 454 mm. (9 1/2 × 17 7/8 in)
Grafito sobre papel de dibujo blanco.

Firmas e inscripciones: Inf. der.: 13. Mai 37 (II).

Bibl.: Zervos IX, lám. 24, pág. 12. Larrea: lám. 62. Arnheim: lám. 24, pág. 89. Russell: lám. 24, pág. 206. Palau i Fabre: lám. 24, pág. 65.

N.º Reg.: MOMA: E.L. 39. 1093. 57.
　　　　　M. PRADO (Casón): 131.

Obs.: Se observan desplazamientos en el trazado de los dedos.

Picasso encuentra en este boceto la representación más expresiva para el elemento del guerrero muerto. En el estadio final del cuadro desaparecen casco y lanza para ser sustituidos por el puño cerrado fuertemente en torno a la espada rota. Es el hallazgo de mayor significación en la figura inerte, y en el cuadro final será complementado con la flor que parece significar una esperanza después de la derrota.

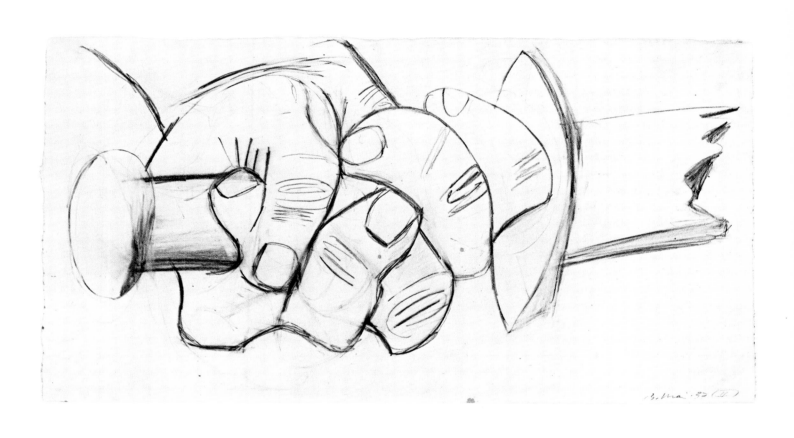

estudios y de los dibujos a su museo. Al mismo tiempo, ustedes han aceptado devolver el cuadro, los estudios y los dibujos a los representados calificados del Gobierno español cuando las libertades públicas sean restablecidas en España. Ustedes saben que mi deseo siempre ha sido ver esta obra y sus anejos volver al pueblo español». En los párrafos que anteceden se aprecia que Picasso, desde luego, parecía gustar de las situaciones jurídicas complicadas para sus cuadros, pero, sobre todo, que no exigió en aquellas fechas la existencia de instituciones republicanas en España. Al mismo tiempo, designaba a una persona encargada de juzgar precisamente cuándo sería el momento de determinar que esas libertades públicas existan en nuestro país. El abogado Roland Dumas debería, en su momento, él mismo o sus sucesores, «apreciar si las libertades públicas han sido restablecidas en España». Picasso todavía concretaba más: a partir del momento en que Dumas se pronunciara, el museo debería devolver el cuadro y las obras de arte anejas en un plazo razonable, no superior a los seis meses, siendo su destinatario el representante en Nueva York del Estado español. Este documento, prácticamente desconocido hasta el momento actual, ha sido verdaderamente el que, con su puntual ejecución, ha permitido, en septiembre de 1981, el regreso a nuestro país del Guernica y sus estudios preparatorios y posteriores (9).

Sin embargo, como para hacer de nuevo difícil la cuestión, Picasso añadió, unos meses después, en la significativa fecha del 14 de abril de 1971, una nueva declaración acerca del Guernica, que, si bien tiene aspectos positivos desde el punto de vista del Estado español, los tiene también negativos. Los primeros se refieren a la vinculación que recalcaba entre el Guernica y sus estudios anteriores y posteriores y, sobre todo, la remisión que hacía al texto más largo fechado en noviembre de 1970. Pero, por otro lado, Picasso se volvía a referir a la República y no a instituciones democráticas, aunque presumiblemente pensara en ellas (10).

Hasta el momento en que se produjo la muerte sucesiva de Picasso y Franco no habría ningún otro intento, ni siquiera fallido, para que el Guernica viniera a tierra española. Las gestiones iniciadas por Pérez Embid fueron, indudablemente, apresuradas; era por completo imposible, en las condiciones políticas de entonces, que el Guernica pudiera volver. Es cierto que existía una mayor tolerancia y, sobre todo, el reconocimiento a la genialidad artística de Picasso; pero esto no favorecía más que el acercamiento del pintor a la sociedad española y no a las instituciones políticas del régimen. Sin embargo, por lo menos, por el procedimiento indirecto de pedir lo inalcanzable, se consiguió que Picasso, como buen andaluz reticente a tratar cualquier cuestión que se refiriera a su muerte y que, por tanto, nunca expresó voluntad alguna acerca de sus bienes, con respecto al cuadro que le había encargado en su día el Estado español sí que mostró una voluntad suficientemente clara con respecto a su destino final.

25. MADRE CON NIÑO MUERTO (II)

13 de mayo de 1937.
239 × 455 mm. (9 1/2 × 18 in)
Grafito y barra de color sobre papel de dibujo blanco.

Firmas e inscripciones: Sup. der.: 13. Mai 37 (III).

Bibl.: Zervos IX, lám. 25, pág. 12. Larrea: lám. 61. Arnheim: lám. 25, pág. 91. Russell: lám. 25, pág. 208. Palau i Fabre: lám. 25, pág. 65.

N.º Reg.: MOMA: E.L. 39. 1093. 22.
M. PRADO (Casón): 132.

Boceto que conjuga perfectamente una prueba casi definitiva del dibujo referido al rostro de la madre, de desatado expresionismo, junto con un importante ensayo de color.

El fondo sigue siendo amarillo y los colores dominantes verde y magenta, en una composición de acusado claroscuro.

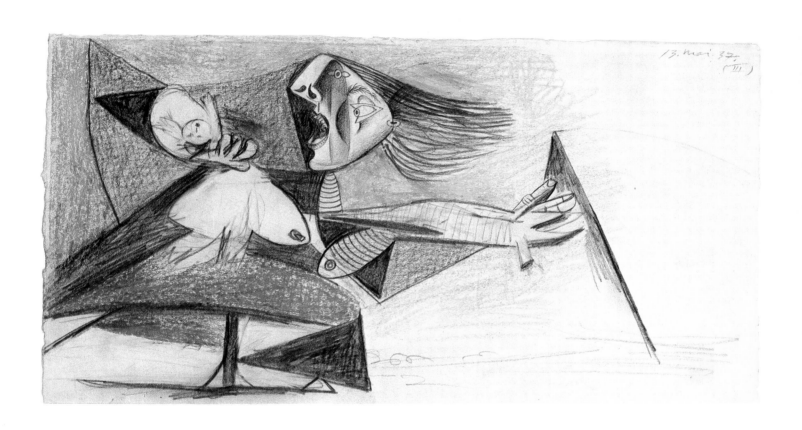

5. EL «GUERNICA» EN LA TRANSICION

Como ya se ha dicho, desde 1971 hasta 1974 no hubo nuevos intentos de recuperar para España el Guernica. Los bienintencionados pero imposibles propósitos de Pérez Embid habían ya quedado frustrados definitivamente en 1970 y cuando se reanudaron se daban unas circunstancias peculiares. Había ya desaparecido Picasso y comenzaba la larga batalla jurídica de su sucesión en el momento en que los Tribunales franceses, en marzo de 1974, reconocían como herederos a la descendencia ilegítima del pintor. Por otro lado, en España se presentía el final del franquismo, que estaba todavía relativamente lejano, pero Picasso seguía siendo un personaje político peligroso. En marzo de 1974 el Tribunal de Orden Público confirmaba una sentencia contra el crítico José María Moreno Galván por una reunión en la Universidad de Madrid en homenaje al pintor. En estas condiciones se puede presumir que las gestiones tenían que ser de carácter exclusivamente privado, como efectivamente sucedió.

La iniciativa partió de un grupo de abogados españoles especializados en temas de derecho internacional y fundamentalmente el abogado madrileño José Mario Armero, al que acompañaron en sus propósitos, entre otros, Manuel Jiménez de Parga, Manuel Medina, Antonio Truyol. El origen inmediato fue la noticia aparecida en la prensa internacional de que los herederos de Picasso habían ofrecido una fórmula transaccional a las autoridades francesas para el reparto de los bienes del pintor y la percepción de los derechos de herencia. Existía el problema de que, a pesar de los rumores muchas veces injustificados o mal informados acerca del destino del Guernica, dicho cuadro fuera incluido entre los bienes que formaban parte de la herencia.

Surgió entonces la posibilidad de pensar un emplazamiento para el Guernica que, por una parte, reconociendo la propiedad sobre él del Estado español, al mismo tiempo no supusiera la vuelta a una España que no reunía las condiciones democráticas pedidas por Picasso. De ahí las sugerencias, de las que se hizo portavoz el diplomático y escritor Fernando Morán, actual Senador socialista, e inmediatamente también apoyadas por José Mario Armero, de que el Guernica fuera instalado en la gran sala del Consejo de Seguridad de las Naciones Unidas en Nueva York. Así no perdería su carácter simbólico ni abandonaría Nueva York, al mismo tiempo que España ejercería unos indudables derechos sobre él. De esta posibilidad se estuvo hablando en la prensa y con respecto a ella se hicieron varias gestiones incluso ante el Embajador español ante las Naciones Unidas y el antiguo Embajador de los Estados Unidos, Antonio Gardilla, por lo menos hasta el verano de 1976. Sin duda hubiera sido una buena solución transaccional aunque tan sólo temporal.

26. ESTUDIO PARA LA CABEZA DEL TORO

20 de mayo de 1937.
231×292 mm. (9 1/8×11 1/2 in)
Grafito y gouache gris sobre papel tela.

Firmas e inscripciones: Centro-der.: 20. Mai 37.

Bibl.: Zervos IX, lám. 28, pág. 13. Larrea: lám. 66. Arnheim: lám. 26, pág. 93. Russell: lám. 26, pág. 210. Palau i Fabre: lám. 26, pág. 66.

N.º Reg.: MOMA: E.L. 39. 1093. 18.
M. PRADO (Casón): 133.

En este boceto el toro ha perdido gradualmente su carácter humano, del que queda sin embargo, algún rastro. Igualmente ha perdido su belleza clásica. Continúa conservando la mirada impasible y un cierto aire de melancolía.

José Mario Armero fue, además, el primer español que se dirigió a quienes tenían en sus manos la posibilidad más inmediata de que el cuadro volviera a manos españolas: el Conservador de pintura del Museo de Nueva York, William Rubin y el abogado francés de Picasso Roland Dumas. Las respuestas de ambos fueron corteses, pero claramente negativas (11). Dichas respuestas motivaron que el grupo de abogados, de los que era cabeza visible Armero, se constituyera como tal e iniciara gestiones para tratar de descubrir cuál era la situación concreta jurídica del cuadro y cuáles las posibilidades de su devolución a nuestro país.

Indudablemente la muerte del General Franco en cuanto que se identificaba con las instituciones existentes podría haber ayudado inmediatamente al regreso del cuadro. Poco después de que se produjera tuvo lugar en las páginas del «New York Times» de Nueva York, una interesante polémica. El historiador del arte de la Universidad de California, Herschel Chipp, en una carta propuso la vuelta del cuadro al que juzgaba como la pintura de historia más importante del siglo XX. Pensaba Chipp que el regreso podría ser un «estímulo hacia un régimen más libre y humano bajo un nuevo líder e incluso podría convertirse en un símbolo ante el mundo de un país más unificado y liberal». Chipp recibió una inmediata respuesta negativa por parte de Rubin. El Guernica —decía— debería ser devuelto a España de acuerdo con la propia voluntad de Picasso, «sólo cuando una genuina República española fuera restaurada». El mural del Guernica, añadía, es un monumento a todos los valores y las libertades contra las que luchó Franco. Rubin hablaba también de que en el pasado inmediato una exposición de obra gráfica del gran pintor malagueño había sufrido un atentado sin que la policía del régimen de Franco hubiera hecho nada para descubrir a sus autores. Armero, en esta ocasión, trató de publicar una carta en el citado diario en la que manifestaba algo tan evidente como que la condición establecida por Picasso respecto de la República, debía entenderse en el sentido más lato de «las libertades democráticas» puesto que también podría haber Repúblicas totalitarias.

Con la desaparición de Franco y el inicio del camino hacia la democracia se fueron haciendo cada vez más insistentes las peticiones de que el famoso cuadro acabara por vincularse definitivamente a nuestro país. Con ocasión de la visita del Rey a Nueva York en el verano de 1976, los funcionarios españoles de la ONU solicitaron que el cuadro se pudiera exponer en el edificio neoyorquino de aquella institución. Al mismo tiempo surgían peticiones para su exhibición, bien en la Bienal de Venecia, dedicada en el año 1976 a España o bien, con carácter temporal, con ocasión de aniversario de un Banco barcelonés. Incluso ya en 1977 surgieron las primeras peticiones que partían del País Vasco, lo solicitaron para sí tanto el Museo de Bilbao como la ciudad de Guernica. A esta petición respondería

27. CABEZA DEL TORO CON ESTUDIOS DE OJOS

20 de mayo de 1937.
232×292 mm. (9 1/8×11 1/2 in)
Grafito y gouache gris sobre papel tela.

Firmas e inscripciones: Inf. Der.: 20. Mai 37.

Bibl.: Zervos IX, lám. 29, pág. 13. Larrea: lám. 67. Arnheim: lám. 27, pág. 95. Russell: lám. 27, pág. 212. Palau i Fabre: lám. 27, pág. 66.

N.º Reg.: MOMA: E.L. 39. 1093. 19.
　　　　　M. PRADO (Casón): 134.

Posiblemente este boceto es un mero divertimento, una mera variante del anterior con un estudio de diversos tratamientos de los ojos que tienen por común denominador la pasividad que ya hemos registrado en la figura del toro.

Jacqueline Picasso, recordando la voluntad de su marido de que el Guernica *viniera al Museo del Prado (12). Al mismo tiempo se deterioraba la postura del Museo de Arte Moderno de Nueva York en el sentido de que en los propios Estados Unidos se llegó a escribir (en la revista «Harpers») que «un director de Museo no podía dictar una forma de gobierno a una nación extranjera». Por vez primera, en febrero de 1957, el diario madrileño «A.B.C.» definiría al* Guernica *como «un exiliado que debe regresar». Pero la postura del Museo era, por el momento, decididamente dilatoria: Rubín declaró que no se había reclamado oficialmente el cuadro y que, en todo caso, las dimensiones del mismo obligaban, sin duda, a emplear un período de varios meses, incluso medio año, hasta hacer los preparativos necesarios para el envío. Una toma de posturas semejante fue la del abogado Dumas. Para él, por aquellas mismas fechas, era indudable que el Estado español se encaminaba hacia una evolución hacia la democracia pero, al mismo tiempo, todavía no se alcanzaba propiamente las condiciones manifestadas repetidamente por el pintor. La posición de Dumas y la de Rubin eran coincidentes con la de todos los herederos. En definitiva, en abril de 1977, según las personas destinadas al efecto por el propio Picasso, se estaban empezando a dar las condiciones requeridas para la vuelta del cuadro, pero distaban de estar completas. Así tuvo la ocasión de comprobarlo el propio Armero en sus contactos con Rubin y Dumas. Debe recordarse que por el momento no se habían celebrado en España elecciones democráticas y que, por lo tanto, tenía fundamento la posición de quienes se negaban al reconocimiento de España como régimen de libertades. Era pues, si se quiere, un Estado en trance de definitiva liberalización pero no un Estado democrático.*

Precisamente las elecciones coincidieron prácticamente con el reparto de la herencia de Picasso y supusieron, además, unas nuevas condiciones políticas en España para que el cuadro pudiera ser reclamado. Desde el momento de su nombramiento como Ministro de Cultura, Cabanillas se puso en contacto con Armero y así se explica que cuando el Senador independiente y republicano pero de nombramiento real, Justino de Azcárate, hizo una propuesta en el mes de agosto ante la Alta Cámara sobre el Guernica, *el Ministro le pudiera responder que las gestiones ya se habían iniciado. Azcárate hacía coincidir su petición de que el* Guernica *volviera con el traslado de los restos de D. Alfonso XIII, Niceto Alcalá Zamora y D. Manuel Azaña «como una demostración pacífica y unánime de la terminación definitiva de la guerra civil». El Senado aprobó una proposición en el mismo sentido, en el sentido deseado por Azcárate, y tiempo después, en octubre del mismo año, el Congreso de los Diputados se pronunció en el mismo sentido a propuesta del Diputado Raúl Morodo (13). Detrás de este segundo pronunciamiento había habido una gestión previa del propio Armero.*

28. CABEZA DEL CABALLO (I)

20 de mayo de 1937.
290×231 mm. (11 1/2×9 1/8 in)
Grafito y gouache gris sobre papel tela.

Firmas e inscripciones: Sup. Izq.: 20. Mai 37.

Bibl.: Zervos IX, lám. 27, pág. 12. Larrea: lám. 65. Arnheim: lám. 28, pág. 96. Russell: lám. 28, pág. 216. Palau i Fabre: lám. 28, pág. 67.

N.º Reg.: MOMA: E.L. 39. 1093. 14.
M. PRADO (Casón): 135.

Estudio muy lineal de la cabeza del caballo que ha perdido en este dibujo casi totalmente su carga emocional.

Las decisiones del Senado y del Congreso español demostraban, sin duda alguna, la existencia de un acuerdo de todas las fuerzas políticas españolas en relación con el cuadro. Este consenso se demostró también en la actitud adoptada por los líderes de los dos principales partidos políticos de la oposición que eran, además, los grupos que representaban la ruptura radical con el régimen franquista desde el que se evolucionó hacia la democracia. La posibilidad de ayuda para la venida del cuadro a prestar por Felipe González o Santiago Carrillo derivaban, en primer lugar de la amistad del primero con el abogado francés Roland Dumas, abogado de la familia Picasso y, en el segundo, de la amistad entre Santiago Carrillo y Jacqueline Picasso. Ambos líderes políticos y sus respectivos partidos colaboraron en la medida de lo posible. A finales de 1977, tanto Felipe González como Santiago Carrillo viajaron a los EE.UU. y ambos manifestaron su deseo en Nueva York de que el cuadro viniera a España. Fue Felipe González el primer político español en fotografiarse con el cuadro. Armero había sugerido en el pasado, tanto al Ministro de Asuntos Exteriores como al Presidente del Gobierno, que se fotografiaran con el cuadro durante la estancia de ambos en Nueva York. Sin embargo, el primer líder centrista que se haría esta fotografía sería, a comienzos de 1978, el entonces Ministro de Hacienda, Francisco Fernández Ordóñez. Mientras tanto, la situación política y cultural española se normalizaba en un sentido democrático. España iniciaba la elaboración de una Constitución e ingresaba en el Consejo de Europa. Ni el bombardeo de Guernica ni el cuadro inspirado en él, eran ya un tema vetado: a principios de 1978 se constituyó una Comisión investigadora sobre el bombardeo de Guernica y, a finales del año anterior, se había presentado en Madrid el libro del escritor vasco Juan Larrea, uno de los primeros publicados sobre el famoso cuadro de Picasso.

Las condiciones para la vuelta parecían, por lo tanto, mejorar progresivamente, pero en realidad, la actitud de quienes jugaban un papel decisivo para hacerla posible eran por el momento manifiestamente dilatorio. En las conversaciones que tuvo Armero en el verano de 1977 con el abogado francés Dumas éste manifestó su creencia en la evolución positiva de la política española hacia las libertades, e incluso, señaló la posibilidad de un dictamen del prestigioso constitucionalista francés Maurice Duverger, acerca de si efectivamente España estaba en condiciones para considerarse como un régimen democrático. Pero, al mismo tiempo, a todo lo largo de 1978, Dumas manifestó que su posición era la de esperar a una estabilización definitiva de la situación política. La postura por parte del principal negociador español en estos momentos, es decir, José María Armero, era algo más optimista, esperando que el cuadro pudiera estar en España en 1979. Armero seguía pensando en la posibilidad de que el cuadro se instalara en las Naciones

29. CABEZA DEL CABALLO (II)

20 de mayo de 1937.
231×291 mm. (9 1/8×11 1/2 in)
Grafito y gouache gris sobre papel tela.

Firmas e inscripciones: Sup. Centro: 20. Mai 37.

Bibl.: Zervos IX, lám. 26, pág. 12. Larrea: lám. 64. Arnheim: lám. 29, pág. 97. Russell: lám. 29, pág. 216. Palau i Fabre: lám. 29, pág. 67.

N.º Reg.: MOMA: E.L. 39. 1093. 17.
M. PRADO (Casón): 136.

Dibujo muy similar al anterior, más simple en su realización pero sin embargo recoge una mayor agresividad en el rostro del caballo, en la cual hay que señalar las posturas ya estudiadas de la lengua y los dientes.

Unidas o en una muy relevante intervención de Su Majestad el Rey de España. De hecho, S.M. el Rey recibió en marzo de 1978 al abogado Dumas y, sin duda, tanto ante los herederos como ante los líderes políticos de todo el mundo y la representación del Museo de Nueva York, la existencia de una Monarquía y la personificación de la misma en D. Juan Carlos de Borbón, ayudó considerablemente a todo el proceso negociador posterior.

Pero tampoco la postura del Museo de Arte Moderno era especialmente complaciente, por el momento. Es cierto, sin embargo, que pudieron jugar un papel positivo las declaraciones sucesivas en mayo de 1978 y luego, con posterioridad en octubre del mismo año, del Senado y del Congreso de los EE.UU. favorables al envío del cuadro a España. El origen de dichas declaraciones positivas para la causa española hay que buscarla en la postura de determinados políticos norteamericanos, aunque, desde luego, la parte española y en especial Armero y el Ministro de Cultura Pío Cabanillas jugaron, también, un papel importante. En el Senado de los EE.UU. fueron dos influyentes personajes, el ex candidato a la presidencia democrática, Mc Govern y el senador por Idaho Church, los que actuaron decididamente para los pronunciamientos del Senado norteamericano (14). La resolución de la Alta Cámara, que fue seguida por la del Congreso, afirmaba que el Guernica en un próximo futuro y por los procedimientos legales oportunos, debía ser entregado al pueblo y al Gobierno de una España democrática». Incluso, en la resolución del Congreso se preveía la posible existencia de una ayuda económica por parte de los EE.UU. para dicha instalación. Las razones que habían motivado la intervención de Church y Mc Govern derivaban, en el primer caso, de su contacto con los nacionalistas vascos y los Estados Unidos y, en el segundo, de una preocupación constante por los problemas españoles. Sin duda, las resoluciones del legislativo americano influyeron sobre la posición del Museo de Arte Moderno de Nueva York, pero siendo éste una institución privada, nada tenía que ver directamente con el Gobierno o con el poder legislativo de los EE.UU. A mediados de 1978 o, incluso a comienzos del 79, la actitud del Museo era también netamente dilatoria. Las declaraciones de los responsables de la cuestión en el Museo insistían en que el traslado necesitaría de varios meses, por razones técnicas o que, incluso, el Museo del Prado carecía de instalaciones de climatización apropiadas para exhibir el Guernica. Incluso, en enero de 1979, Rubin afirmó que no existía ningún documento que probara que España había pagado el cuadro.

Desde luego, esta actitud dilatoria, por mucho que irritara las negociaciones españolas, no dejaba de tener su fundamento al menos parcial. Picasso, como sabemos, había pedido garantías de que la situación democrática en España se hubiera estabilizado antes de que viniera el cuadro. Hasta finales de 1978 no había Constitución democrática en nues-

30. CABEZA DE MUJER (II)

20 de mayo de 1937.
290 × 232 mm. (11 1/2 × 9 1/8 in)
Grafito y gouache gris sobre papel tela.

Firmas e inscripciones: Sup. der.: 20. Mai 37.

Bibl.: Zervos IX, lám. 32, pág. 14. Larrea: lám. 68. Arnheim: lám. 30, pág. 99. Russell: lám. 30, pág. 218. Palau i Fabre: lám. 30, pág. 68.

N.º Reg.: MOMA: E.L. 39. 1093. 50.
M. PRADO (Casón): 137.

La importancia de esta cabeza de mujer reside fundamentalmente en la expresión de la boca y su lengua en forma de aguijón, del mismo modo que habíamos visto en los sucesivos bocetos de la cabeza del caballo.

Hay que señalar que esta boca y también la cabeza es prácticamente idéntica a la definitiva en el cuadro de la madre con el niño muerto.

tro país y, además, no se había producido una nueva elección desde la inicial de 1977, a la que algunos seguían considerando como realizada en peculiarísimas condiciones a la salida de un régimen autoritario. Había, en definitiva, factores objetivos que contribuían a retrasar la llegada del cuadro a nuestro país.

6. *HACIA EL DESENLACE FINAL*

Un cambio importante se había de producir, por lo tanto, a partir de marzo de 1979, cuando se celebraron las nuevas elecciones que de alguna manera demostraban la estabilización de la democracia española. A partir de este momento la iniciativa negociadora la llevó a cabo más directamente la Administración. En realidad, Armero no tuvo ningún nombramiento específico por escrito del Gobierno español para que negociara la vuelta del cuadro, aunque tenía el encargo verbal y lo hubiera obtenido de manera formal caso de haberlo solicitado. Ya en el año 79 fueron funcionarios, dependientes de los Ministerios de Asuntos Exteriores y Cultura, los que, como por otra parte era lógico, desempeñaron el papel más relevante en la negociación. Estos funcionarios fueron el Embajador, Rafael Fernández Quintanilla y el que suscribe, Javier Tusell, nombrado en mayo de 1979 Director General de Bellas Artes. Fernández Quintanilla, ya con anterioridad había conocido la existencia del archivo del político socialista y ex Embajador de la República en Francia en 1937, Luis Araquistain, que, como ya hemos podido comprobar, contiene una abundante documentación sobre la gestación del Guernica.

En julio de 1979, el abogado francés visitó en Madrid al Presidente del Gobierno Adolfo Suárez acompañado por Fernández Quintanilla. En aquella misma tarde, mantuvo también contacto con el Director General de Bellas Artes. Esta visita, sin duda alguna, contribuyó de manera importante a la venida del cuadro a España. Dumas recibió un encargo del Gobierno español de ocuparse, como abogado, de la venida del cuadro y, en adelante, prestó una colaboración creciente a los propósitos españoles. Por otro lado, por vez primera, se dio una fecha, que luego resultaría correcta para la venida del cuadro: la del Centenario del nacimiento del pintor. Una prueba evidente de que se empezaba a considerar más o menos inmediata la llegada del mismo es el hecho de que por estos meses se produjera la polémica acerca de la ubicación una vez llegado a nuestro país. Se solicitó para Málaga, para Guernica y para Barcelona, con razones de mayor o menor trascendencia y con mayor o menor argumentación. La verdad es que aunque Picasso en ningún momento se pronunció por escrito acerca de la ubicación, en cambio todos sus herederos como los responsables del Museo de Arte Moderno de Nueva York, como las personas que

31. **ESTUDIO DE CABEZA LLORANDO (I)**

24 de mayo de 1937.
292×231 mm. (11 1/2 $\times$ 9 1/8 in)
Grafito y gouache gris sobre papel tela.

Firmas e inscripciones: Sup. izq.: 24. Mai 37.

Bibl.: Zervos IX, lám. 31, pág. 14. Larrea: lám. 69. Arnheim: lám. 31, pág. 100. Russell: lám. 31, pág. 220. Palau i Fabre: lám. 31, pág. 68.

N.º Reg.: MOMA: E.L. 39. 1093. 47.
          M. PRADO (Casón): 138.

El 24 de mayo Picasso realiza tres bocetos de cabezas diferentes. En los bocetos 31 y 32, la expresión se centra como hemos advertido anteriormente en la forma de la boca y la lengua en punta. Los ojos en forma de lágrimas acentúan este dramatismo y se mantienen de esta forma en los restantes estudios de cabezas llorando hasta llegar a «Guernica».

conocieron y estuvieron cerca de él durante años, conocían perfectamente que su voluntad era que el cuadro figurara en el Museo del Prado, del que había sido nombrado Director. Con el paso del tiempo, los principales partidos parlamentarios se pronunciaron en el sentido deseado por el propio Picasso y, precisamente uno de los pocos aspectos positivos que ha tenido la larga dilación en la entrega del Guernica ha sido que ha dado tiempo a que la polémica se decantara y concluyera en el sentido más lógico y, desde luego, coincidente con la voluntad de su autor (15).

Sin embargo existieron problemas que hicieron dilatar dos años más la llegada del cuadro a España. Si en julio de 1979 se había avanzado considerablemente, unos meses después, en octubre, los herederos de Picasso reclamaron su derecho moral a intervenir en el regreso del cuadro a España. La figura del derecho moral existe en las legislaciones de algunos países y se refiere a aspectos importantes de ella, como, por ejemplo, la conservación o la imagen de una obra de arte, así como la asignación a su autor, pero desde luego, no tiene nada que ver con el estricto derecho de propiedad. Los herederos de Picasso, sin embargo, planteaban al museo de Arte Moderno de Nueva York su derecho no solamente a señalar el tiempo y el momento del traslado sino las condiciones en que debiera efectuarse e, incluso, el número de piezas al que se debía referir, cuando, como sabemos, Picasso siempre había considerado como inseparables del cuadro principal los dibujos preparatorios y los trabajos posteriores. Alguna complicación accesoria nació a finales de 1979 del planteamiento en medios periodísticos españoles de la posibilidad de que España tuviera derecho a una parte de la herencia picassiana. Pero la dificultad principal nacía ya de los herederos. La declaración del derecho moral de los hijos ilegítimos traía como consecuencia que ya Dumas no podría ser considerado como interlocutor privilegiado y menos como único, y además, se debía contar también con el Museo de Arte de Nueva York. La Administración española tenía que tener en cuenta, por lo tanto, ya a tres sectores en el complicado proceso de negociación de la vuelta del cuadro.

A comienzos de 1980 se adoptaron dos medidas positivas en relación con la vuelta del cuadro. En primer lugar, se realizó una compra, importante por vez primera, de obra picassiana: dos cuadros interesantes y una colección de obra gráfica que recorrería España obteniendo un gran éxito de público en los meses siguientes. Era una forma de empezar a recuperar a Picasso para la cultura española. Por otro lado, en febrero de 1980 se formó una Comisión encargada de ocuparse de la vuelta del Guernica a España, formada por el Ministro de Cultura, el Secretario de Estado de Relaciones Exteriores, Carlos Robles Piquer, el Subsecretario adjunto al Presidente del Gobierno, Alberto Aza, el Director General de Bellas Artes y el Embajador Fernández Quintanilla. En realidad, esta Comisión dilató su puesta en marcha prácticamente hasta el nombramiento

32. ESTUDIO DE CABEZA LLORANDO (II)

24 de mayo de 1937.
292 × 232 mm. (11 1/2 × 9 1/8 in)
Grafito y gouache gris sobre papel tela.

Firmas e inscripciones: Sup. izq.: 24. Mai 37.

Bibl.: Zervos IX, lám. 33, pág. 15. Larrea: lám. 71. Arnheim: lám. 32, pág. 101. Russell: lám. 32, pág. 220. Palau i Fabre: lám. 32, pág. 69.

N.º Reg.: MOMA: E.L. 39. 1093. 48.
      M. PRADO (Casón): 139.

Esta atormentada cabeza de mujer se hace más expresiva por el fuerte trazo del negro creándose un claroscuro que acentúa su dramatismo.

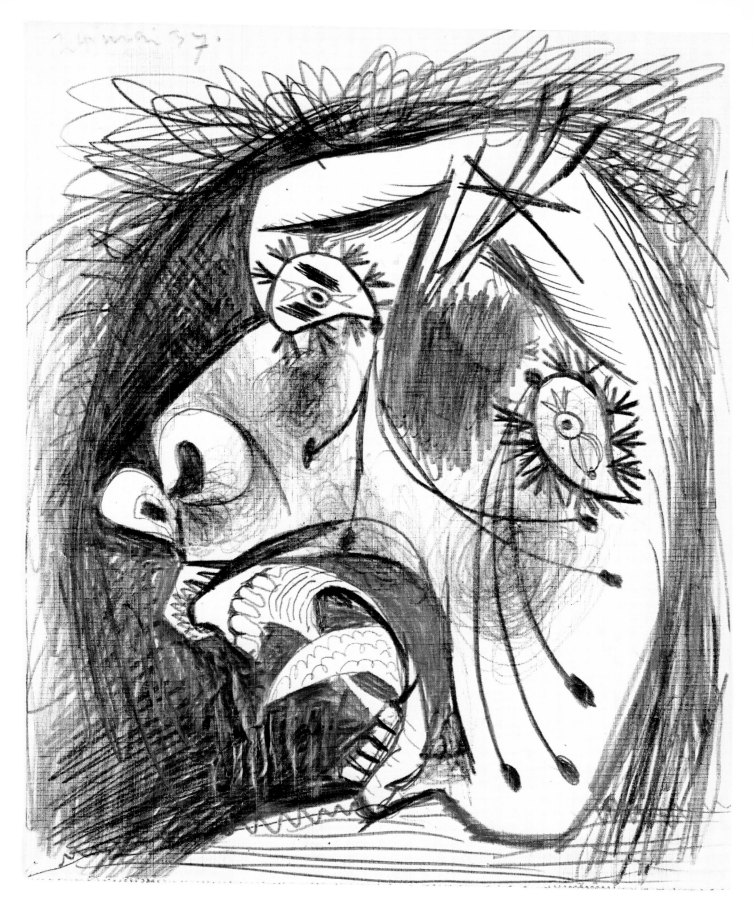

71

como ministro de Iñigo Cavero, quien siempre puso una gran insistencia en la necesidad de que la Administración actuara coordinadamente en la materia.

Un paso adelante de gran relevancia también fue el acuerdo de principio logrado por el Director General de Bellas Artes y Fernández Quintanilla en Nueva York acerca del regreso del cuadro. En la ciudad norteamericana se estaba produciendo la retrospectiva de Picasso más importante que hasta ahora ha tenido lugar y que está con toda probabilidad destinada a ser la más completa que nunca se pueda exhibir. Esta exposición tenía lugar en el marco de la celebración de los 75 años de la fundación del Museo de Arte Moderno. Con ocasión de la inauguración de la exposición en la que colaboró, aunque muy modestamente, el Estado español, se llegó a la redacción de una carta de acuerdo con la cual, «respetando los derechos morales de los herederos», el Museo se mostraba dispuesto a entregar el cuadro al Estado español a partir de septiembre de 1980, es decir, una vez concluida la exposición retrospectiva (16).

Por supuesto la mención a los «derechos morales» fue introducida por el Museo, quien había recibido, como acaba de decirse, una advertencia de los herederos de Picasso en el sentido de que se respetara aquello. La voluntad de los herederos quedó ratificada con ocasión de una polémica en la prensa madrileña. En efecto, en abril de 1980, Armero publicaba un artículo en el diario madrileño A.B.C., cuya tesis fundamental y, por supuesto, acertada, era que el Rey había jugado un papel muy importante en la hipotética próxima vuelta del cuadro a España. En el mes siguiente aquel sector de los herederos que había ejercitado sus supuestos derechos morales, expresó su postura en la prensa negando a Dumas ser el único interlocutor válido con respecto al asunto. Ellos —afirmaban— eran partidarios de la vuelta del Guernica a España, pero tenían que ejercitar sus derechos con respecto al modo, el tiempo y la forma de producirse.

Evidentemente esta situación dilataba todo el proceso negociador. Al mismo tiempo, sin embargo, se estaban tomando decisiones que contribuirían con el paso del tiempo a la instalación del cuadro en el Casón del Buen Retiro de Madrid. En septiembre de 1980 se iniciaban las obras de climatización y acondicionamiento de dicho edificio con la vista puesta en la instalación del cuadro. A estas alturas había cesado prácticamente la polémica de la ubicación del cuadro, siendo muy mayoritariamente aceptada la pensada por la Administración y, en concreto, por la Dirección General de Bellas Artes, en dicho edificio. Se había creado ya una Comisión organizadora del Centenario de Picasso y solicitado los créditos necesarios para que la celebración tuviera la altura requerida. Incluso, se había excluido una posibilidad apuntada en algún momento, de que el Guernica de vuelta a España fuera exhibido temporalmente en París. Finalmente, en diciembre de 1980, uno de los herederos,

33. CABEZA

24 de mayo de 1937.
231 × 293 mm. (9 1/8 × 11 5/8 in)
Grafito y gouache gris sobre papel tela.

Firmas e inscripciones: Sup. der.: 24. Mai 37.

Bibl.: Zervos IX, lám. 30, pág. 14. Larrea: lám. 70. Arnheim: lám. 33, pág. 103. Russell: lám. 33, pág. 222. Palau i Fabre: lám. 33, pág. 70.

N.º Reg.: MOMA: E.L. 39. 1093. 44.
   M. PRADO (Casón): 140.

Obs: Se aprecia un desplazamiento en el perfil.

Esta cabeza difiere totalmente de las dos anteriores. Algunos autores ven aquí las características de una cabeza femenina. Respecto a la posición de los ojos Arnheim hace el siguiente comentario:

«Si se tapa primero el ojo superior y después el inferior, se observa que en el primer caso la cabeza reposa en posición más horizontal, en tanto que en el segundo el eje principal del objeto fluye oblicuamente y la cabeza está levantada. Cuando sólo el ojo inferior controla el conjunto, el peso visual está concentrado bajo el centro de la cabeza y tiende a distribuirse simétricamente desde allí, obligando al ambiguo contorno del perfil a una posición horizontal. El ojo superior concentra el peso en la frente y, por lo tanto, produce un eje principal de orientación oblicua. La combinación de ambos ojos mantiene a la cabeza suspendida entre las posiciones de yacer sin vida y alzarse, tipo de ambigüedad que en general parece atraer a Picasso debido a lo complejo de la actitud que implica y a la tensión que crea.»

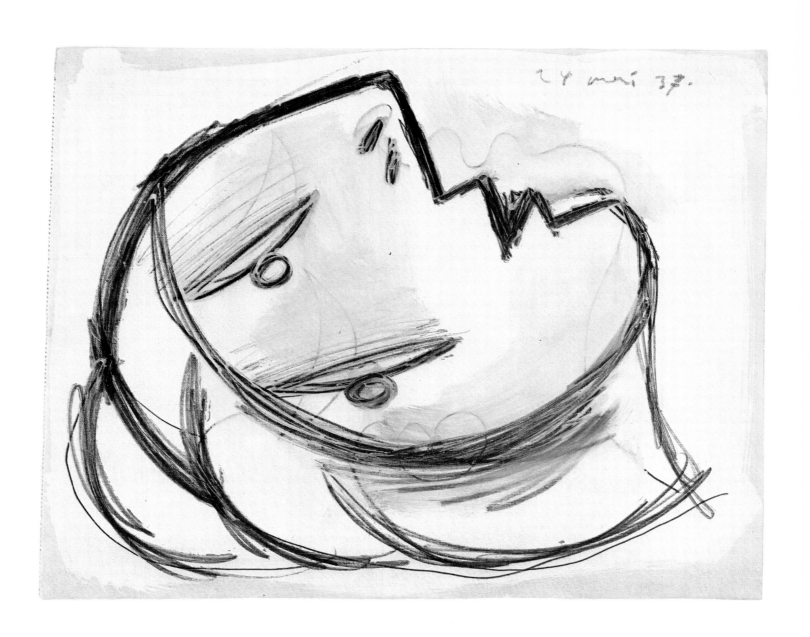

Bernard, visitó a las futuras instalaciones del Casón. Otro de ellos, Claude, lo había visitado en 1978 (17).

En enero de 1981, después de unas gestiones previas de Fernández Quintanilla con cada uno de los herederos en Francia, para darle más fuerza, se obtuvo del Presidente del Gobierno, Adolfo Suárez, una carta en que se solicitaba la donación de todos los herederos. Dicha carta fue entregada por el Director General de Bellas Artes y por el Embajador Fernández Quintanilla, sucesivamente a cada uno de ellos. En el caso concreto de Jacqueline Picasso, primera destinataria de la misma, la carta le fue entregada por ambos el 8 de enero de 1981 en el castillo de Vauvenargues, en el que está enterrado el pintor malagueño en un pequeño túmulo con una estatua («La mujer con el vaso») de la que existe una copia, propiedad del Estado español, que habrá de ser entregada al mismo en un plazo corto de tiempo. Ya se había detectado una oposición de carácter político a la vuelta del cuadro por parte de una de las herederas, Maya, hija de Marie Terese Walter y nacida, precisamente, en la época en la que Picasso pintó el «Guernica». La postura de Maya Picasso se basaba en una bienintencionada falta de información acerca de la realidad española, de la que conservaba una imagen fijada en los años cincuenta y, en la creencia de que Picasso había hablado exclusivamente de las instituciones republicanas españolas como requisito imprescindible para la vuelta del cuadro. La postura de Maya acabó apareciendo en la prensa madrileña, e, inevitablemente, logró una unanimidad en contra. En realidad, era mucho menos estridente de lo que podía parecer y, en todo caso, permitía una solución satisfactoria para la postura española, al aceptar, ante el que firma el presente artículo, la decisión mayoritaria de los herederos. Estos se reunieron antes del mes de marzo y su respuesta volvió a ser dilatoria, en parte por los acontecimientos españoles (intento de golpe de Estado, previa dimisión de Suárez como Presidente del Gobierno).

Fue quizá este el peor momento de la negociación, porque así como el Museo de Arte Moderno había explicado su posición, en cambio una parte de los herederos no solamente mantenía una postura dilatoria sino que, además, no daba ninguna respuesta precisa. Además tardaban en reunirse y aunque se encontraban en la mejor disposición por parte de Jacqueline Picasso y de su abogado Dumas y de Marina, sin embargo, evidentemente existía un acuerdo poco reconfortante de los acontecimientos producidos en España.

De ahí que se pensara en la posibilidad de adoptar una actitud de mayor dureza. En enero de 1981, cuando se hicieron evidentes las dificultades nacidas de algunos de los herederos, el Estado español, a través de la Dirección General de Bellas Artes del Ministerio de Cultura y tras una gestión del Embajador Fernández Quintanilla, adquirió el Archivo de Araquistain, que contenía pruebas suficientes, aunque no firmadas por Picasso como ya hemos podido

34. CABEZA LLORANDO (I)

27 de mayo de 1937.
232 × 293 mm. (9 1/8 × 11 5/8 in)
Grafito y gouache gris sobre papel tela.

Firmas e inscripciones: Sup. izq.: 27. Mai 37.

Bibl.: Zervos IX, lám. 36, pág. 17. Larrea: lám. 74. Arnheim: lám. 34, pág. 105. Russell: lám. 34, pág. 224. Palau i Fabre: lám. 34, pág. 71.

N.º Reg.: MOMA: E.L. 39. 1093. 29.
M. PRADO (Casón): 141.

Una vez más Picasso ensaya una cabeza de mujer llorando. En este boceto el elemento expresivo reside en el cabello. La abundante cabellera aquí dibujada se simplificará enormemente en los bocetos posteriores y en el «Guernica».

comprobar, de que el cuadro fue pagado por el Gobierno español. Era ésta un arma útil para una eventual polémica o, incluso judicial, con el Museo. La coordinación facilitada por la existencia de esa Comisión y en la que tanto había insistido el Ministro Cavero, creaba, además, unas mejores posibilidades de actuación en los EE.UU. Seriamente se pensó en la eventualidad de una reclamación por vía de los Tribunales. La Administración española no podía aceptar que se celebrara el Centenario del nacimiento de Picasso sin la presencia del cuadro en España. El propio Ministro de Cultura manifestó en público que estaba abierta la posibilidad de una vía diferente a la negociación amistosa llevada hasta entonces.

Pero afortunadamente no resultaría necesaria, ya que de haberse producido, nadie hubiera sido beneficiado y, en cambio, todas las partes hubieran sufrido en su imagen ante todo el mundo. En abril de 1981 se efectuó por parte de representantes del Ministerio de Cultura (Joaquín Tena, Secretario General Técnico del mismo, que jugó un papel decisivo en los planteamientos jurídicos relativos a la reclamación) y el Embajador Fernández Quintanilla, del cuadro del Museo de Arte Moderno de Nueva York. El Museo apreció los repetidos intentos realizados por la Administración española para llegar a un pronunciamiento de los herederos y ofreció sus buenos oficios delante de ellos, para llegar a una resolución del caso. Efectivamente el Museo envió a dos representantes suyos, los señores Oldenburg y Rubin, a entrevistarse con los herederos, entrevista que se produjo en Francia, en el mes de junio de 1981. Tras esta entrevista, empezaba a quedar ya expedito el camino para la vuelta del cuadro. A finales de julio del mismo año, recibíamos la confirmación de que la entrega del cuadro se produciría a comienzos de septiembre. Un primer borrador del acuerdo para la transferencia se había redactado por el Museo de Arte Moderno y remitido a nosotros a comienzos del mes de agosto y a finales de dicho mes se llegaba a un acuerdo definitivo.

Según este acuerdo, el día primero de septiembre llegaban a Nueva York dos expertos españoles, un conservador de museos, Alvaro Martínez-Novillo, y un restaurador, José María Cabrera, con el encargo de levantar acta del inventario de las obras de Picasso que componían el conjunto Guernica *y certificar sobre su estado de conservación. Una vez realizado este documento, el Cónsul General de España, Máximo Cajal (quien recientemente había sustituido en el cargo a Rafael de los Casares, persona totalmente entregada a la recuperación del* Guernica*) firmó en nombre del Gobierno español el acuerdo previo de entrega del* Guernica *y obras complementarias por parte del Museo de Arte Moderno de Nueva York (18). Días más tarde, el nueve de septiembre, fecha en que salieron las obras del museo, Iñigo Cavero, Ministro de Cultura, firmaba personalmente el documento definitivo de entrega a España en presencia de*

35. HOMBRE CAYENDO

27 de mayo de 1937.
232×293 mm. (9 1/8×11 1/2 in)
Grafito y gouache sobre papel tela.

Firmas e inscripciones: Inf. izq.: 27. Mai 37.

Bibl.: Zervos IX, lám. 34, pág. 16. Larrea: lám. 72. Arnheim: lám. 35, pág. 107. Russell: lám. 35, pág. 226. Palau i Fabre: lám. 35, pág. 72.

N.º Reg.: MOMA: E.L. 39. 1093. 49.
M. PRADO (Casón): 142.

Esta figura del hombre cayendo parece confirmar la idea de que Picasso en un momento dado duda en sustituir la figura masculina por la femenina en la figura que cae de la casa en llamas del «Guernica». Finalmente el artista eligió a la mujer por su mayor expresividad.

Arnheim analiza la posición de perfil de esta figura: «El dibujo es interesante como ejemplo radical de la nueva y paradójica simetría obtenida al dar al perfil de la cabeza un giro de noventa grados hacia arriba. La barbilla y la cúspide de la cabeza se corresponden entre sí como normalmente lo hacen las dos orejas. La expresión estática obtenida por esta impresionante simetría es la misma utilizada en el cuadro para la cabeza de la madre. En el dibujo 35, el eje central del cuello es reforzado en la cabeza por el ojo vertical, sólido soporte de la simetría general. El otro ojo aporta la horizontal, es decir, la posición en la que normalmente son vistos los ojos. Picasso demuestra a menudo ser consciente del extrañamiento que resulta cuando un objeto abandona su orientación espacial habitual.»

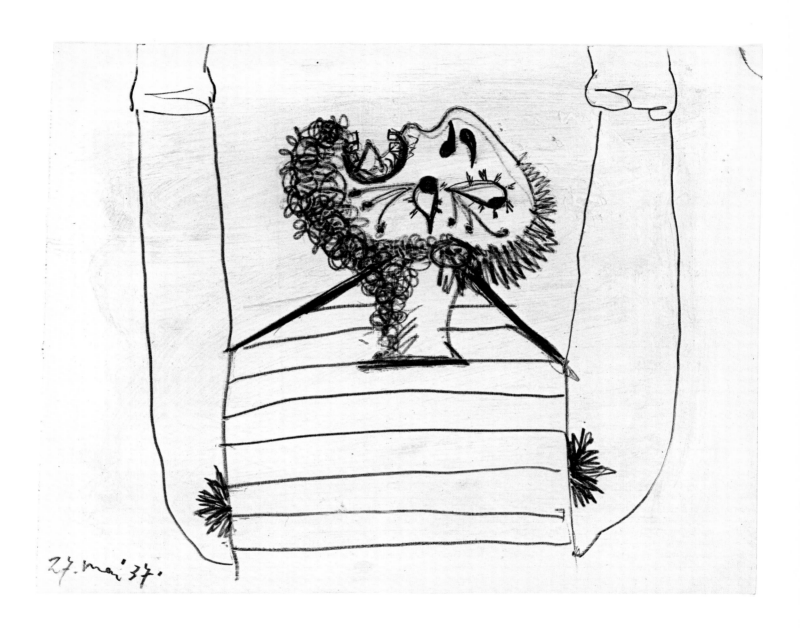

27. mai 37.

José Lladó, Embajador de España en Washington (19).

Concluía así una ardua negociación. El positivo resultado final se debía a una combinación de varios factores: el innegable derecho del pueblo español, de acuerdo con la voluntad expresada muchas veces por Picasso; la actitud de fondo positiva del Museo de Arte Moderno de Nueva York; el apoyo mayoritario de los herederos; el hecho de que el Museo debía modificar sus instalaciones y no disponía en las nuevas de previsión de espacio para el Guernica o incluso la eventualidad de un endurecimiento de la postura negociadora española. Pero quizá hubo un factor más decisivo, si se quiere, incluso sorprendente para lo que es habitual en la Administración española: la tenacidad con la que se había venido persiguiendo el objetivo final durante tantos meses.

JAVIER TUSELL
Catedrático de Historia Contemporánea,
Director General de Bellas Artes,
Archivos y Bibliotecas.

La documentación que se cita en el presente estudio procede de archivos españoles, privados o públicos. El autor quiere hacer constar su agradecimiento por las facilidades dadas a los funcionarios del Archivo Histórico Nacional (Sección Guerra Civil, Salamanca), Archivo General de la Administración (Alcalá de Henares) y Ministerio de Asuntos Exteriores, así como a los albaceas de D. Florentino Pérez Embid y a D. José Mario Armero.

(1) Vid. apéndice documental. Doc. 1, pág. 151.
(2) Documento 2, pág. 152.
(3) Documento 3, pág. 153.
(4) Documento 4, págs. 154 y 155.
(5) Documentos 5 y 6, págs. 156 y 157.
(6) Documento 7, pág. 158.
(7) Documento 8, pág. 159.
(8) Documento 9, pág. 159.
(9) Documento 10, pág. 160.
(10) Documento 11, pág. 160.
(11) Documentos 12 y 13, págs. 161 y 162.
(12) Documento 14, pág. 163.
(13) Documento 15, pág. 164.
(14) Documento 16, pág. 165.
(15) Documento 17, pág. 166.
(16) Documento 18, pág. 167.
(17) Documento 19, pág. 168.
(18) Documentos 20 y 21, págs. 169 y 170.
(19) Documentos 22 y 23, págs. 171 y 172.

36. MADRE CON NIÑO MUERTO (II)

28 de mayo de 1937.
232 × 293 mm. (9 1/8 × 11 5/8 in)
Grafito, barra de color y gouache gris sobre papel tela.

Firmas e inscripciones: Sup. izq.: 28. Mai 37.

Bibl.: Zervos IX, lám. 38, pág. 18. Larrea: lám. 76. Arnheim: lám. 36, pág. 109. Russell: lám. 36, pág. 228. Palau i Fabre: lám. 36, pág. 73.

N.º Reg.: MOMA: E.L. 39. 1093. 25.
M. PRADO (Casón): 143.

El 28 de mayo, Picasso ensaya de nuevo dos dibujos con el tema de la madre con el niño muerto. En éste que vemos ahora, la figura de la madre aparece contorsionada dentro de un gran dramatismo que se acentúa por la deformación de la cabeza. La figura del niño muerto y más concretamente su cabeza pasará intacta a la obra final.

Arnheim, en este dibujo, da una gran importancia a las dos formas alares de color púrpura que envuelven a las figuras:

«...destacan y continuan los dos ejes diagonales alrededor de los cuales se ha construido el grupo de la madre y el niño.»

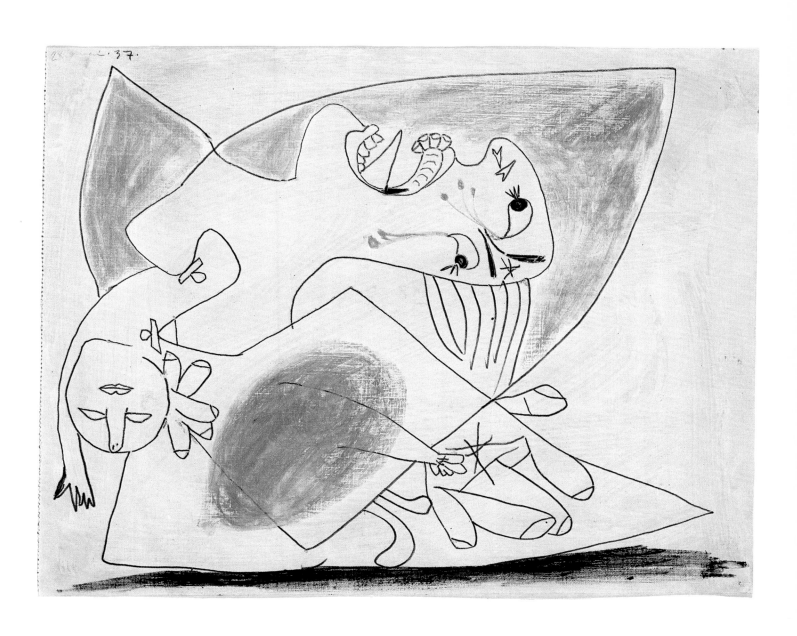

GENESIS Y PRIMEROS AVATARES DEL «GUERNICA»

por HERSCHEL B. CHIPP

EL «GUERNICA» Y EL GOBIERNO REPUBLICANO ESPAÑOL

A principios de enero de 1937, varios amigos y funcionarios del gobierno republicano español se dirigieron a Picasso para pedirle que contribuyera con un mural al pabellón previsto para la exposición internacional que se celebraría en París a lo largo del verano siguiente. Entre ellos estaban José Gaos, comisario general de la exposición española, Max Aub, agregado cultural de la embajada, Josep Lluis Sert, arquitecto-jefe, y José Bergamín, poeta y director de información pública. Aunque no se habló de ningún tema en concreto para el mural, el talante de todos los presentes podía deducirse del hecho de que Picasso les leyó un poema satírico que había compuesto, titulado más tarde Sueño y mentira de Franco, *y les mostró dos aguafuertes parcialmente acabados, de gran tamaño, que consistían en catorce tablas representando al general Franco, las caricaturas más sangrientas que había hecho jamás.*

Puesto que los aguafuertes iban a ser un donativo al gobierno asediado para su venta en ayuda de los refugiados, la delegación podía esperar otra aportación. Por más preocupado que estuviera Picasso por los trágicos sucesos de España, entonces en el punto culminante de su furia con los ataques contra Madrid y Málaga, se limitó a responder que no sabía si podría pintar tal obra.

El mismo pabellón tardó mucho en empezarse. Demorado su inicio por las lluvias invernales y la inundación de la margen derecha del Sena, no se puso la piedra angular del edificio hasta el 27 de febrero, tan sólo dos meses antes de la fecha fijada para la inauguración, el 1 de mayo. Al saber que su amigo Joan Miró también iba a aportar un mural, y al enseñarle Sert la pared preeminente del foyer *en que sería montada su pintura, empezó a considerar finalmente la posibilidad de intentar una tarea que no había acometido nunca con anterioridad. Su primer proyecto de tamaño mural, el telón para el ballet de Jean Cocteau* Parade, *de 1917, había constituido un placer para él, no sólo porque pudo incluir imágenes de sus antiguos temas circenses, sino también porque entonces estaba trabajando en Roma en medio del estimulante ambiente de una compañía de artistas de enorme talento, entre ellos Eric Satie, Léonide Massine, Serge Diaghilev, su gran amigo, Jean Cocteau y los bailarines del Ballet Ruso. En 1937, en cambio, estaba tratando con aquellos hombres trágicos, de la más cruel realidad (la mayoría de ellos refugiados), que se esforzaban por mantener el prestigio de la República española ante*

37. MADRE CON NIÑO MUERTO (IV)

28 de mayo de 1937.
231 × 292 mm. (9 1/8 × 11 1/2 in)
Grafito, gouache, barra de color y «collage» sobre papel tela.

Firmas e inscripciones: Inf. izq.: 28. Mai 37.

Bibl.: Zervos IX, lám. 37, pág. 17. Larrea: lám. 73. Arnheim: lám. 37, pág. 111. Russell: lám. 37, pág. 230. Palau i Fabre: lám. 37, pág. 74.

N.º Reg.: MOMA: E.L. 39. 1093. 24.
          M. PRADO (Casón): 144.

En este boceto la figura de la madre con el niño muerto aparece en sentido contrario al boceto anterior. Para Arnheim, en este dibujo Picasso combina el tema de la maternidad con el de la mujer que huye: «La pierna frontal doblada y la posterior reflejan el paso presuroso de esa figura. Al propio tiempo, el brazo levantado y la casa en llamas con su ventana están tomadas de la sección de la mujer que yace».

La figura del niño aparece con la boca abierta por primera y única vez en toda la serie de bocetos; esto se debe quizá al dolor producido por la flecha que tiene clavada y que en el «Guernica» se traslada al caballo.

Es importante señalar que en este dibujo Picasso realiza un pequeño «collage» con cabellos humanos que coloca en el centro.

las demás naciones del mundo justo en el momento en que estaba siendo desgarrada y en grave peligro de dejar de existir. Jamás se había enfrentado Picasso a un problema de tal magnitud y de semejante fuerza emocional.

LA EXPOSICION DE PARIS DE 1937

La Feria Mundial de París, oficialmente Exposition Internationale des Arts et Techniques dans la vie moderna, tenía por objeto la glorificación de los numerosos y rápidos avances técnicos, principalmente en el transporte y en las industrias química y metalúrgica. El Grand Palais se convirtió en un Palais de la Découverte, la Gare des Invalides en un Palais de la Chemin de Fer, y una fantástica cúpula nueva, hecha en su mayor parte de cristal, se convirtió en el Palais de l'Air, con aviones de verdad suspendidos en lo alto. Una zona extensísima, a lo largo del Sena —desde la Chambre del Députés hasta el Champ de Mars—, se destinó a las Attractions, diversiones de todo tipo, incluidos los más innovadores inventos en el campo de la arquitectura y la ingeniería. Algunos críticos compararon el progreso tecnológico aquí desplegado con los nuevos aviones y tanques rusos y alemanes, que habían entrado entonces en acción en la Guerra Civil española, al otro lado de los Pirineos. La guerra, o los preparativos para ella, estaban llevándose rabiosamente a cabo a lo largo de las tres fronteras principales de Francia, y, sin embargo, ninguno de los horrores que la acompañaban, ni tampoco las nuevas y fantásticas máquinas bélicas, estaban presentes en la exposición. Era como si, intencionadamente, se los hubiera excluido de la conciencia de los millones de personas que visitaban la feria en busca de placer. Ni tan siquiera las sumamente tensas relaciones internacionales de 1937, que culminaron con la caída del primer ministro francés y de sus colegas de Inglaterra y España, o las impresionantes noticias de la Unión Soviética de la ejecución de ocho veteranos generales rusos acusados de traición, lograron empañar la fruición de las nuevas maravillas tecnológicas. Sin embargo, algunas manifestaciones de derechistas e izquierdistas, y, más adelante, algunos enfrentamientos abiertos estallaron en las calles de París. Las exportaciones francesas habían descendido en un cincuenta por ciento, el franco se había devaluado dos veces en 1937, el desempleo era incontenible y Francia se veía sacudida por huelgas que incluso llegaron a retrasar la inauguración de la Feria Mundial. Los barcos fluviales en huelga atestaron el Sena entre los rutilantes despliegues de las nuevas maravillas de la ciencia y la industria, y hasta los restaurantes de París cerraron a una en su práctica totalidad. Finalmente, los repartidores de Les Halles se unieron a los barrenderos, a los trabajadores del metro y a las funerarias para paralizar la ciudad.

38. CABEZA LLORANDO (II)

28 de mayo de 1937.
232×293 mm. (9 1/8×11 5/8 in)
Grafito, barra de color y gouache sobre papel tela.

Firmas e inscripciones: Sup. der.: 28. Mai 37.

Bibl.: Zervos IX, lám. 35, pág. 16. Larrea: lám. 75. Arnheim: lám. 38, pág. 112. Russell: lám, 38, pág. 232. Palau i Fabre: lám. 38, pág. 75.

N.º Reg.: MOMA: E.L. 39. 1093. 33.
M. PRADO (Casón): 145.

En esta cabeza Picasso utiliza como elementos expresivos los mismos que en otras obras de la serie, es decir, los ojos en forma de paramecios, las pestañas agrupadas, las lágrimas, la boca con la lengua en punta, etc.

Como fondo arquitectónico aparece la ventana que luego se verá en el «Guernica».

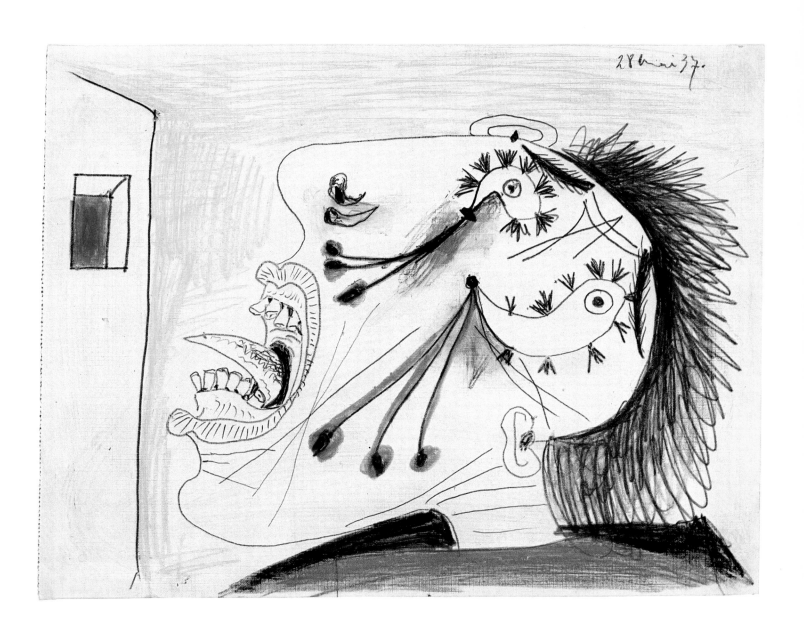

A pesar de todo esto, la feria se consideró un gran éxito: un espectáculo popular que, a su término en noviembre, había albergado a gran número de visitantes. En contraste con el tono general de evasión de los problemas cotidianos, los organizadores de la feria procuraron incorporar a parte de los numerosísimos obreros desempleados a la empresa. En lo que se refiere a los artistas, esto se concretó en proyectos murales monumentales en los que diferentes equipos de artistas trabajaban juntos en proyectos comunes. Los elegidos para diseñar los murales fueron por lo general los de estilo abstracto o cuasi abstracto, que, por ello, tenía mayor afinidad con los productos industriales y arquitectónicos. Eran Robert Delaunay, Fernand Léger, Sonia Delaunay, Auguste Herbin, Jean Metzinger, Raoul Dufy, Marcel Gromaire, Albert Gleizes y muchos otros. El director de los ferrocarriles nacionales, complacido con los bocetos de Delaunay, le obsequió con los últimos modelos de luces indicadoras, que el artista utilizó como base de su altorrelieve para el pórtico del Palais de la Chemin de Fer. También le fue encargada la creación de un mural de gran tamaño (de unos 12 por 18 metros), para el Palais de l'Air, que quedaba suspendido del techo junto con varios aviones de verdad. Delaunay declaró jubilosamente que el arte mural en manos de un maestro artista y un grupo de ayudantes era el único arte auténticamente social. Fernand Léger, mientras trabajaba en su mural de 9 metros sobre la transmisión de la energía, concibió su propia idea del definitivo arte social, nada menos que contratar a artistas desempleados para que pintaran de blanco todo París y realzar la exposición pintando todas sus estructuras de colores brillantes y variados según sus diseños.

A pesar de la amenazadora situación internacional, las tensiones internas y la economía tambaleante, el ambiente de la feria fue de optimismo y esperanza en el futuro —al menos para la tecnología—. La influencia de Le Corbusier era omnipresente en todas las estructuras, y él mismo se declaró muy satisfecho del modo en que se estaba haciendo uso de la pintura y la escultura, no sólo para decorar la arquitectura sino también para que las tres estuvieran coordinadas entre sí.

En marcado contraste con la espectacular arquitectura de ambas márgenes del Sena desde la Place de la Concorde hasta l'Allée des Cygnes, pasada la Torre Eiffel, y con el placentero espíritu que dominó la feria entera, el pabellón español se dedicó exclusivamente a la lucha y sufrimiento del pueblo español. Inaugurado con unas siete semanas de retraso, no aparecía descrito en los lujosamente ilustrados programas conmemorativos e incluso estaba ausente de los mapas oficiales y ni siquiera se lo mencionó en la publicidad que acompañaba al acto de inauguración oficial por parte del Presidente de la República el 25 de mayo. Además, le fue asignado un lugar, junto con los países más pequeños y remotos, en la margen derecha del río, a cierta distancia

39. CABEZA LLORANDO (III)

31 de mayo de 1937.
232×293 mm. (9 1/8×11 1/2 in)
Grafito, barra de color y gouache gris sobre papel tela.

Firmas e inscripciones: Sup. izq.: 31. Mai 37.

Bibl.: Zervos IX, lám. 39, pág. 18. Larrea: lám. 77. Arnheim: lám. 39, pág. 113. Russell: lám. 39, pág. 232. Palau i Fabre: lám. 39, pág. 76.

N.º Reg.: MOMA: E.L. 39. 1093. 35.
M. PRADO (Casón): 146.

Aquí han desaparecido los dientes de la boca, y todo el boceto parece estar dibujado sobre otro, manteniéndose el fondo arquitectónico de la ventana.

Es una prueba de color en la que sigue subsistiendo gran parte del fondo amarillo en una tonalidad general azul.

del área central en torno a la Torre Eiffel, donde estaban situados todos los demás países occidentales vecinos de Francia, a excepción de Alemania. Y, para colmo de males, la modesta estructura —de dos pisos— de armazones de acero y muros prefabricados se colocó al lado de las beligerantes esculturas de desnudos masculinos de Albert Speer y de su monstruosa torre de estilo nazi, que se elevaba muy por encima de cualquier otra estructura a excepción de la propia Torre Eiffel. Esta obra de Speer hacía pequeña hasta a la gigantesca torre soviética que se erguía al otro lado del paseo y a la que la administración de la feria había asignado intencionadamente un lugar en el que se hallaba frente por frente con la alemana. De este modo, los dos representantes del gigantismo formaban una especie de portal arquitectónico que, aunque enormemente desproporcionado con todas las demás estructuras, hacía que el uno anulara al otro.

EL PABELLON ESPAÑOL

El pabellón español estaba enteramente consagrado a la expresión de los ideales sociales y políticos de la República y de los sufrimientos del pueblo español. La fachada principal, vista desde el paseo vecino a los focos que están al pie de las escalinatas de Trocadéro, estaba dominada por un enorme mural fotográfico con soldados en fila, al que acompañaban lemas que expresaban los principios defendidos por la República: «Luchamos por la unidad esencial de España, luchamos por la integridad del territorio español...».

La primera escultura con que se encontraba la mirada del visitante al aproximarse era la cuasi abstracta columna de cemento de algo menos de 12 metros debida a Alberto Sánchez, con el tema de la marcha del pueblo español por un camino que conduce a una estrella, y que se encontraba justo a la vera del paseo. Antes de llegar a la entrada, se pasaba junto a la Montserrat de Julio González, una figura de chapa, de tamaño natural, de una mujer con un niño en el brazo izquierdo y una hoz en la mano derecha. El vestíbulo de entrada se abría lateralmente, dejando ver, enfrente, el móvil de Alexander Calder, una fuente circular de mercurio colocada en el centro con el título Mercurio español de Almadén en letras en relieve. A la derecha, cubriendo por completo la pared del fondo, como si se tratara de un escenario, estaba el Guernica, el título muy destacado en el zócalo. A la izquierda, y enfrente del Guernica, había un gran mural fotográfico del poeta Federico García Lorca, que había sido asesinado en los primeros días de la guerra. Frente a la entrada había un auditorio al aire libre para el cual Luis Buñuel había organizado un programa casi ininterrumpido de documentales sobre la guerra. Llamaba la atención el lema «¡No pasarán!», que hiciera inmortal la defensa francesa de Verdún en 1916. En la escalera que

40. ESTUDIO PARA UNA CABEZA LLORANDO (I)

3 de junio de 1937.
232×293 mm. (9 1/8×11 1/2 in)
Grafito, barra de color y gouache gris sobre papel tela.

Firmas e inscripciones: Sup. izq.: 3. Juin 37.

Bibl.: Zervos IX, lám. 40, pág. 19. Larrea: lám. 78. Arnheim: lám. 40, pág. 113. Russell: lám. 40, pág. 232. Palau i Fabre: lám. 40, pág. 76.

N.º Reg.: MOMA: E.L. 39. 1093. 34.
M. PRADO (Casón): 147.

Desaparece el fondo arquitectónico y el cabello se transforma en una especie de púas.

llevaba al primer piso estaba el mural de 5 metros de Joan Miró El segador.

Salvo dos moldes de cemento de esculturas de yeso de Picasso, instalados en lugares menos destacados del exterior, todas las obras de arte estaban relacionadas con la guerra o con los ideales de la República. La figura de González era llamada entonces, por lo general, «La campesina de Montserrat», y no hubo comentarista que no hiciera notar su postura heroica y la hoz que firmemente sostenía en la mano derecha. Los yacimientos de mercurio de Almadén, los mayores del mundo, y dedicados a producir un mineral esencial para la industria de la munición, estaban en aquellos momentos bajo el asedio de las fuerzas nacionales. Ya antes de la inauguración del pabellón habían caído primero Guernica y luego el centro industrial de Bilbao, y al haber ya completado su limpieza del País Vasco las fuerzas nacionales e italianas, la derrota final de la República parecía inevitable. El 23 de agosto el gobierno vasco huyó por mar con los invasores pisándoles los talones, y resultaba bastante natural que buscaran refugio en el diminuto fragmento de España que les quedaba, su pabellón de París. Posaron, para un fotógrafo de L'Humanité, delante del Guernica, *la épica respuesta de Picasso al bombardeo que señaló el principio del fin de la independencia vasca. Están con ellos dirigentes del partido y del sindicato comunista francés.*

Miró siempre negó que la hoz en manos de su segador fuera un símbolo, aunque dijo que, para él, tanto podía ser un instrumento de cosechar como, en tiempos de peligro, un arma. Sin embargo, es difícil que sea sólo una coincidencia que el himno nacional catalán (Miró es catalán) tenga el mismo título, Els segadors, *y que la letra sea la exaltación de unos campesinos que combaten a un invasor armados tan sólo con sus hoces. Esto, junto con el gorro frigio del segador y la estrella, hacen comprensible que el cuadro fuera comúnmente conocido como* Revuelta de campesinos.

Hasta la escultura de cemento de Picasso llamada por lo general Mujer con florero, *de tamaño algo mayor que el natural, tenía para él un significado especial. En 1973 fue colocado en su monumento funerario un molde de esta figura, y uno de bronce que tenía en su estudio llevaba una inscripción indicando que pertenecía a la República Española.*

LA RESPUESTA CRITICA
AL «GUERNICA»

A pesar del enorme prestigio unido al nombre de Picasso, tanto el Guernica *como, de hecho, el pabellón español entero fueron virtualmente ignorados por la prensa. En primer lugar, se había abierto demasiado tarde para poder ser incluido en ninguno de los catálogos ilustrados conmemorativos mensuales ni en la publicidad que acompañó*

41. ESTUDIO PARA UNA CABEZA LLORANDO (II)

3 de junio de 1937.
232×293 mm. (9 1/8×11 1/2 in)
Grafito, barra de color y gouache sobre papel tela.

Firmas e inscripciones: Inf. der.: 3. Juin 37.

Bibl.: Zervos IX, lám. 44, pág. 21. Larrea: lám. 80. Arnheim: lám. 41, pág. 114. Russell: lám. 41, pág. 232. Palau i Fabre: lám. 41, pág. 77.

N.º Reg.: MOMA: E.L. 39. 1093. 52.
M. PRADO (Casón): 148.

Prácticamente idéntica a la anterior pero con un color mucho más fundido que da al fondo una tonalidad general verde y el rostro aparece repartido en colores amarillo, azul y magenta.

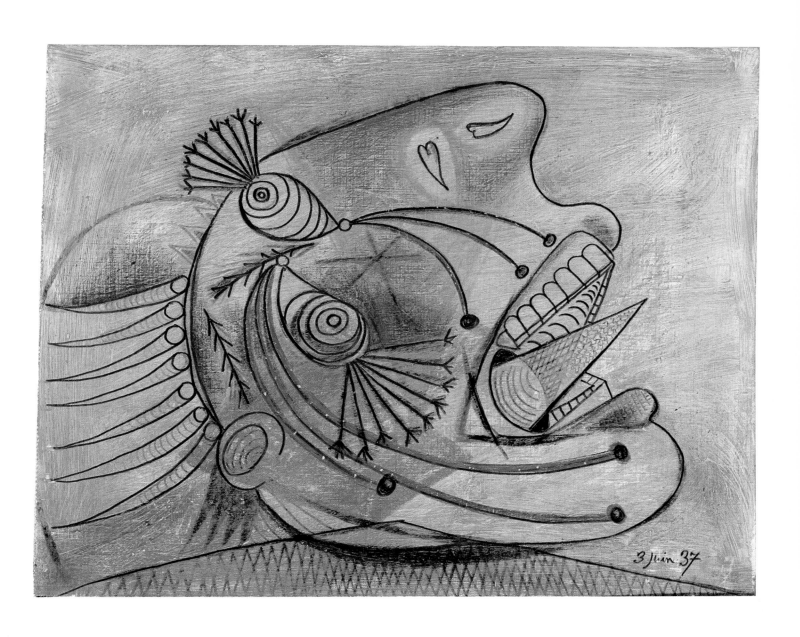

a la inauguración oficial de la feria, el 24 de mayo, a su vez con más de tres semanas de retraso. Tan sólo L'Humanité, el periódico del Partido Comunista francés, mencionó la inauguración de la participación española, y en realidad con el único propósito de destacar la presencia de los dignatarios asistentes, la mayoría dirigentes del partido francés y del soviético. El Guernica no apareció reproducido más que una vez en el periódico del partido, pero eso fue mucho después, tras haber servido de fondo para una fotografía del gobierno vasco, ahora en el exilio. La razón principal era que, como dijo Le Corbusier, la exposición estuvo volcada al entretenimiento, y mientras la mayoría de los murales, como el de Dufy, mostraban «la belle peinture», el de Picasso era una excepción. Por este motivo, escribió Le Corbusier que el Guernica «no vio más que las espaldas de los visitantes, ya que éstos se sentían repelidos por el cuadro».

La guía alemana oficial de la feria reflejaba las opiniones de Hitler sobre el arte moderno, que acababa de expresar en un discurso, en Munich, con ocasión de la infame Exposición de Arte Degenerado. Casualmente, eso ocurrió la misma semana en que el Guernica era mostrado por primera vez en el pabellón español. Según la guía alemana, el pabellón de la España «Roja» no encerraba nada de importancia, y sólo daba cuenta de un cuadro cuyo nombre no mencionaba —sin duda el Guernica—, que, decía, parecía representar el sueño de un loco. Añadía que se trataba tan sólo de un batiburrillo de partes de cuerpos como podría haberlo hecho un niño de cuatro años. Ni siquiera la prensa comunista encontraba nada que decir sobre el Guernica, aunque había sido la única que durante semanas había machacado sobre los horrores del aterrador bombardeo que había suscitado el cuadro de Picasso, y sobre la culpabilidad de la Legión Cóndor alemana. Louis Aragon, redactor jefe de L'Humanité, evitando cualquier mención de Picasso, sólo sabía repetir sus ataques contra la insipidez de los artistas que creaban paliativos para las paredes de los ricos y los poderosos. En consonancia con el tema de la exposición, instaba a los artistas «a ser ingenieros del alma», pero lo que, por supuesto, quería decir era que pintaran temas «social-realistas», tal y como determinaba el partido y de hecho se había ya puesto en práctica en los países totalitarios. Amédée Ozenfant dio una concienzuda réplica a este conocido argumento en los Cahiers d'Art. Ridiculizaba los tópicos y obviedades de lo que los totalitarios llamaban «pensamiento correcto», y añadía que, «al ignorar los valores poéticos o musicales, fracasaban a la hora de lograr cualquier efecto social». «Nuestra época es grandiosa, dramática y peligrosa», exclamaba, «y Picasso, al ser igual que sus circunstancias, hace un cuadro digno de ellas». El Guernica trata de nuestros tiempos, ya que es un «espantoso drama, el de un gran pueblo abandonado a los tiranos de la edad de las tinieblas... Todo el mundo puede ver, puede entender esta inmensa tragedia española», concluía.

42. ESTUDIO PARA UNA CABEZA LLORANDO (III)

3 de junio de 1937.
232×293 mm. (9 1/8×11 1/2 in)
Grafito, barra de color y gouache gris sobre papel tela.

Firmas e inscripciones: Sup. izq.: 3. Juin 37.

Bibl.: Zervos IX, lám. 41, pág. 19. Larrea: lám. 81. Arnheim: lám. 42, pág. 115. Russell: lám. 42, pág. 232. Palau i Fabre: lám. 42, pág. 77.

N.º Reg.: MOMA: E.L. 39. 1093. 36.
M. PRADO (Casón): 149.

Igual que los anteriores, insiste en las manchas de color independientes.

91

Luc Decaunes también se conmovió hondamente con el mensaje del pabellón español. Escribió que aquel no era lugar para el experto en pintoresquismo que fuera esperando ver toreros emperifollados y bailaoras flamencas. Desde el feroz Guernica hasta el trágico rostro del poeta Federico García Lorca, asesinado y sin sepultura conocida, o las «escenas cortadas de la carne viva de gente martirizada, todo es guerra, guerra, guerra». Como una espada de Damocles goteando sangre, continuaba, el pabellón entero era una «terrible acusación, la de un pueblo enfrentado cara a cara con sus asesinos».

Cuando el Guernica estaba siendo instalado, Georges Sadoul entrevistó a Picasso, y éste declinó explicar el cuadro. Hablaría sólo de la guerra, y de la grave noticia de la aniquilación de las fuerzas vascas, y de los apuros de los refugiados que en aquel momento huían por mar hacia puertos franceses del Golfo de Vizcaya. Habló de las medidas, que él había supervisado, tomadas para la protección de los cuadros del Prado. Minimizó su cargo de director honorario, diciendo que «los verdaderos conservadores del Prado no pueden ser los científicos o los artistas, sino los que en la realidad de cada día, los tanquistas, los aviadores, todos los soldados del ejército popular, luchan ante Madrid». Para Antonin Artaud el Guernica era parte del «fin del mundo de la belleza platónica y agustiniano». Sin embargo, la más honda penetración en su significado la tuvo en aquel entonces el poeta Michel Leiris, quien escribió en un número de los Cahiers d'Art *enteramente dedicado al cuadro:*

«Picasso nos envía nuestra carta de condenación: cuanto amamos va a morir, y por eso es necesario que reunamos cuanto amamos, como las emociones de los grandes adioses, en algo de inolvidable belleza.»

A pesar de la intensa controversia que acerca del significado del Guernica se desató desde un principio, Picasso evitó, con gran firmeza, comprometerse con ninguna interpretación determinada de su simbolismo. Cuando todavía estaba trabajando en el cuadro, escribió a la Campaña en Socorro de los Refugiados Españoles, de América, que, en él, simplemente «expreso con claridad mi aborrecimiento de la casta militar que ha sumido a España en un océano de dolor y muerte». En un mensaje enviado al Congreso de Artistas Americanos en diciembre de 1936, escribió que los artistas no pueden permanecer indiferentes a un conflicto en el que los más altos valores de la humanidad están en juego, pero se abstuvo de mencionar el Guernica cuando, en octubre de 1944, explicó su adhesión al Partido Comunista. Resistió enérgicamente los intentos de un joven simpatizante americano, Jerome Seckler, por hacerle convenir en que en el Guernica había símbolos conscientes del partido. Lo único en que convenía fue en que sus intenciones habían sido propagandísticas.

Excepto por el título, Guernica, el cuadro no posee relación manifiesta con el bombardeo, ni con la ciudad, ni

43. CABEZA DEL GUERRERO Y PATA DEL CABALLO

3 de junio de 1937.
232×292 mm. (9 1/8×11 1/2 in)
Grafito y gouache gris sobre papel tela.

Firmas e inscripciones: Sup. izq.: 3. Juin 37.

Bibl.: Zervos IX, lám. 45, pág. 21. Larrea: lám. 79. Arnheim: lám. 43, pág. 117. Russell: lám. 43, pág. 234. Palau i Fabre: lám. 43, pág. 78.

N.º Reg.: MOMA: E.L. 39. 1093. 45.
M. PRADO (Casón): 150.

Mero apunte, de factura muy esquemática, para tantear la colocación en el mural de la cabeza del guerrero y la pata del caballo.

tan siquiera con la guerra civil. Picasso no declaró nunca que la tuviera, tan sólo que era su respuesta a los trágicos sucesos acaecidos a sus compatriotas. No obstante, a pesar de su silencio, y a pesar de las sobrias y juiciosas observaciones de Alfred Barr, autores posteriores han especulado ampliamente sobre sus posibles significados. Desde la poética evocación de Juan Larrea de la imaginería y los símbolos de la cultura española, y los intentos de Seckler por ver símbolos comunistas, los escritores no han dejado de alumbrar interpretaciones enormemente diversas, muchas de ellas contradictorias.

EL DESTINO DEL «GUERNICA»

Cuando la exposición fue formalmente clausurada, el 1 de noviembre, la esperanza generalizada era que, en razón de su popularidad y de la masiva asistencia, se volvería a abrir al verano siguiente. Pero, debido en gran medida a la subversión y a las amenazas de Hitler contra Austria, los temores de Francia a verse rodeada por todas sus fronteras de ejércitos en marcha se despertaron, y finalmente, en enero de 1938, se decidió demoler el resto de los pabellones. Que estos temores estaban justificados se demostró claramente cuando dos meses después el ejército alemán ocupaba Austria y en abril la anexionaba al Tercer Reich para su mayor ensanchamiento. Se siguieron inmediatamente acciones similares —e igualmente coronadas por el éxito— contra Checoslovaquia, las cuales supusieron, el 28 de setiembre de 1938, su desmembramiento a manos de sus aliados y de Alemania, en el transcurso de la Conferencia de Munich. El espectro de una traición semejante por parte de Inglaterra y Francia estremeció de terror los corazones de las milicias catalanas, que se replegaban entonces hacia el Mediterráneo ante los concentrados ataques de las tropas nacionales, fuertemente apoyadas por la Legión Cóndor y la aviación italiana. Al tiempo que las fuerzas franquistas las empujaban hacia la costa, los bombarderos italianos con base en Mallorca llevaron a cabo el mayor ataque aéreo de la guerra: cuarenta y ocho horas de descargas ininterrumpidas sobre la zona portuaria de Barcelona. Sin embargo, poca mención se hizo en la prensa parisina de este hecho o de los cien mil refugiados españoles que, procedentes de Cataluña, abandonaban su tierra natal huyendo de lo que para la mayoría habría sido la prisión o la muerte.

El bombardeo de Guernica en abril de 1937 había señalado el inicio del gradual aplastamiento del País Vasco, que en junio llevó a la caída de Bilbao, en agosto a la huida del gobierno vasco a Francia, y finalmente, en octubre, con la caída de Gijón, a la ocupación de todo el norte de España. Con la derrota de vascos y asturianos, los republicanos más rabiosamente independientes habían caído en manos del enemigo, y, además, la mayor concentración de minas de carbón

44. ESTUDIO PARA CABEZA DE HOMBRE

4 de junio de 1937.
232 × 292 mm. (9 1/8 × 11 1/2 in)
Grafito y gouache sobre papel tela.

Firmas e inscripciones: Centro der.: 4. Juin 37.

Bibl.: Zervos IX, lám. 42, pág. 20. Larrea: lám. 83. Arnheim: lám. 44, pág. 119. Russell: lám. 44, pág. 236. Palau i Fabre: lám. 44, pág. 78.

N.º Reg.: MOMA: E.L. 39. 1093. 46.
M. PRADO (Casón): 151.

Esbozo prácticamente definitivo de la cabeza del guerrero, en la cual han desaparecido tanto el casco como el cabello y cuyo rasgo más característico es la posición independiente de cada uno de los ojos.

Es de notar cómo el artista suprime la lengua puntiaguda, signo de agonía o sufrimiento, de la boca de este personaje caído.

y hierro y de industrias pesadas de España había pasado a estar controlada por Franco y su producción a nutrir en buena medida los arsenales de Hitler. Esto indujo a Inglaterra a reconocer a Franco como caudillo de España y, mientras forzaba la mano en su competición por reconquistar su antiguo dominio sobre los ricos recursos minerales de España, aflojaba en su resolución de oponerse a la intervención alemana e italiana. Al mismo tiempo la ayuda militar soviética a la República estaba disminuyendo. Hugh Thomas describe la coincidencia habida entre Hitler y el Politburó al llegar ambos simultáneamente a la conclusión de que les beneficiaba que continuase la guerra para, de este modo, mantener al otro envuelto en una aventura extranjera sin gastar ellos las reservas que esperaban pronto necesitar para sí. El fin del año 1937 vio el comienzo de la guerra de atrición, como Thomas calificó a las batallas del este, en torno a Teruel, que a principios de 1938 dieron como resultado una punta de lanza nacional que llegaba hasta la costa mediterránea, aislaba Barcelona y dejaba a Madrid con nada más que un precario hilo que la enlazaba con Valencia y la costa.

Cuando el pabellón español fue desmontado, el Guernica y las esculturas hechas por Picasso, Calder y González fueron devueltas a sus dueños en París. Fue entonces cuando Picasso comunicó por primera vez a Sert y a sus amigos españoles su deseo de que el Guernica fuera al Prado tras el restablecimiento del gobierno republicano.

El cuadro de Miró y la escultura de Sánchez, junto con los carteles, fotografías y artefactos expuestos en el pabellón, fueron devueltos a España por barco. Sin embargo, mientras tanto, el gobierno republicano había abandonado Valencia y se había trasladado a Barcelona, donde se unió a la Generalitat catalana. Sin duda por culpa de los febriles preparativos para la defensa de estas dos ciudades, ninguna de esas dos obras de arte ha vuelto a verse jamás.

Era, pues, prudente por parte de Picasso prometer devolver el Guernica al gobierno republicano cuando éste hubiera sido restablecido, pero retenerlo, por el momento, en París. Su fervor por la causa, sin embargo, jamás flaqueó, ya que lo cedió de buen grado a las organizaciones de ayuda a los refugiados, primero en Londres y luego en Nueva York, en ambos casos con la intención concreta de recaudar dinero para los refugiados españoles.

Aunque más adelante se puso muchas veces en boca de Picasso su afirmación de que el Guernica debería ir al Prado, parece claro que lo que quería decir, tanto entonces como después, era que debería ser devuelto al mismo gobierno que en 1936 le había nombrado director honorario del Prado, y al que había donado la serie Sueño y mentira de Franco, el Guernica, y obsequiado con numerosas declaraciones de apoyo, así como aportaciones en dinero y cuadros. La lealtad de Picasso hacia la República quedaba además demostrada por lo que probablemente fue su primera ofrenda a España,

45. ESTUDIO PARA MANO

4 de junio de 1937.
232×292 mm. (9 1/8×11 1/2 in)
Grafito y gouache sobre papel tela.

Firmas e inscripciones: Inf. centro: 4. Juin 37.

Bibl.: Zervos IX, lám. 43, pág. 20. Larrea: lám. 82. Arnheim: lám. 45, pág. 121. Russell: lám. 45, pág. 238. Palau i Fabre: lám. 45, pág. 79.

N.º Reg.: MOMA: E.L. 39. 1093. 56.
 M. PRADO (Casón): 152.

Estudio casi definitivo de la mano del guerrero muerto en la que destaca el trazado de las arrugas y el tratamiento «sui generis» de las uñas, que se mantiene en el cuadro final.

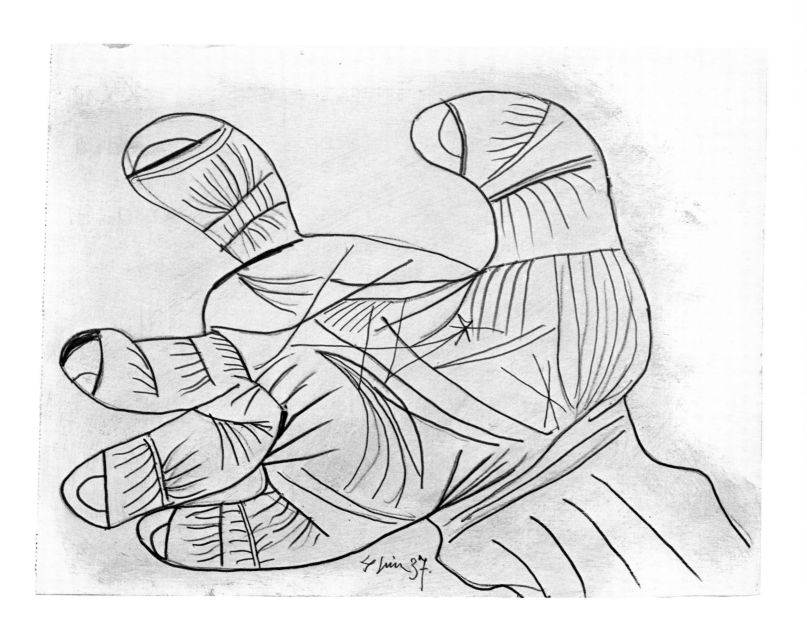

1.ª Fase, 11 de Mayo

un grabado de la Minotauromaquia de 1935, donado al Museo de Arte Moderno de Barcelona. La fecha es de lo más significativa: 30 de septiembre de 1938, justo cuando la República acababa de recibir sus más devastadores golpes —golpes que pronto resultarían mortales—. En agosto Cataluña quedó aislada del resto de la República por la ofensiva de los nacionales hacia el Mediterráneo, y lo que quedaba de ésta, que eran Valencia y Madrid, mantenían una precaria unión a través de una única y estrecha carretera. Las brigadas internacionales fueron retiradas de las líneas de combate y el 22 de septiembre tuvo lugar en Barcelona un conmovedor acto de despedida. La multitud, palpitante de emoción, se vio arrastrada por las apasionadas palabras de la Pasionaria: «No os olvidaremos, y cuando al olivo de la paz le vuelvan a brotar las hojas, entrelazadas con los laureles de la victoria de la República Española, ¡volved!». El 28 de septiembre, dos días antes de la ofrenda de Picasso, la medida adoptada por la Conferencia de Munich de desmembrar Checoslovaquia constituyó un horrible aviso del similar y trágico destino que pronto aplastaría a la República. Fue en este momento, cuando la

FOTOGRAFIAS REALIZADAS POR DORA MAAR DURANTE LA EJECUCION DEL CUADRO

2.ª Fase

*República parecía condenada y el presidente Negrín bus-
caba frenéticamente una tregua que evitara la aniquilación
total, cuando Picasso decidió ofrendar su más importante
grabado a Barcelona.*

*Es bien sabido que incluso durante los últimos días de
la República Picasso siguió bien informado acerca de la
situación en España, principalmente a través de amigos
suyos que trabajaban para o en apoyo del gobierno y en socorro de los refugiados, pero también a través de periódicos
izquierdistas y de los panfletos y boletines del Servicio de
Información español. Leía regularmente L'Humanité,
del que Louis Aragon era redactor jefe y en el que su mejor
amigo, Paul Eluard, colaboraba con artículos y poemas.
Otro amigo íntimo, Juan Larrea, director de la* Agence
Espagne, *publicaba un boletín diario con noticias sobre los
acontecimientos de España. En la contraportada de este
boletín correspondiente al 19 de noviembre de 1938 Picasso
hizo un dibujo de su hija Maya. Destacaba entre las noticias de aquel día el acuerdo anglo-italiano del 16 de noviembre, que confirmaba la política de apaciguamiento establecida en el Acuerdo de Munich. Esto significaba tam-*

3.ª Fase

bién el fin de los esfuerzos en pro de la no intervención y,
de hecho, el abandono británico de toda esperanza para la
República.

El futuro del Guernica muy bien pudo estar unido en
la mente de Picasso al de los cuadros del Prado, que durante
año y medio habían estado oficialmente bajo su cuidado en
tanto que director honorario. Se había sentido decepcionado,
por supuesto, de que sus planes para exhibirlos en el Louvre
durante la exposición no se hubieran materializado al final,
y de que permanecieran en depósito en Ginebra. Bombar-
deadas durante los ataques aéreos de 1936 sobre Madrid,
las más importantes obras de arte habían sido rápidamente
desmontadas de sus marcos y pedestales y transportadas en
camión a Valencia por la peligrosa carretera que constituía el único vínculo existente entre Madrid y el mundo
exterior. Encontraron allí refugio en el museo provincial
y en las imponentes torres de piedra de la antigua puerta
de acceso a la ciudad, las Torres de Serranos, que habían sido
reforzadas para resistir bombardeos. Todavía estaban allí,
esperando para ser trasladadas al Louvre, cuando, en 1937,

100

4.ª Fase

se clausuró la exposición. Así, en un mismo momento hubo dos refugiados esperando volver a España: los cuadros del Prado confiados por la República a Picasso en octubre de 1936, y su propio Guernica, encargado por la República solamente tres meses después. Naturalmente, el traslado de ambos al Prado dependía del término de la guerra civil y, como él esperaba, del restablecimiento del gobierno republicano en Madrid.

EL «GUERNICA» EN INGLATERRA

En septiembre de 1938 Picasso envió el Guernica, junto con los dibujos preparatorios, al Comité Nacional Conjunto de Socorro a España de Londres, después de haber sido expuesto anteriormente en Noruega, para su exhibición en beneficio de los refugiados españoles en Francia. Desde el comienzo de la guerra, las organizaciones de socorro inglesas y americanas eran las que se habían mostrado más activas a la hora de proporcionar ambulancias, personal

5.ª Fase

médico y víveres a las tropas republicanas, pero en 1938 sus esfuerzos estaban dedicados principalmente al socorro de los refugiados. Las organizaciones americanas solas recaudaron, en 1938, una media de unos 10.000 dólares mensuales que fueron empleados eminentemente en el mantenimiento de orfelinatos en España, refugiados en Francia y, en un momento dado, en ayudas para la obtención de medios de transporte con los que devolver a su patria a los veteranos de la Brigada Abraham Lincoln. Los amigos que tenía Picasso entre los dirigentes republicanos y los intelectuales de izquierdas trabajaban muy activamente en las diversas organizaciones de socorro, y sin duda buscaron todos los medios posibles por los que el Guernica pudiera seguir sirviendo a la República. Para las multitudes de la exposición de París, el cuadro se había aparecido tan sólo como un recordatorio de un desagradable acontecimiento que pronto sería olvidado. Solamente en las oficinas de varias agencias de propaganda, algunas de ellas creaciones de la fértil imaginación de Willy Münzenberg, se cayó verdaderamente en la cuenta del valor propagandístico del

6.ª Fase

Guernica. *Era un cuadro que podía mantener viva la implacable acusación de que la Legión Cóndor alemana, actuando a las órdenes de Franco, era responsable del aterrador bombardeo de unos civiles. En París,* L'Humanité *llevaba un mes entero publicando por su cuenta noticias, informes y relatos de testigos en apoyo de la versión vasca del ataque: informes que tenían que ser por fuerza extraordinariamente precisos teniendo en cuenta lo intenso de la controversia. Con el fin de la exposición de París, el* Guernica *quedaba libre y disponible para prestar servicios en el extranjero, como ya habían hecho muchos dirigentes y héroes de guerra españoles aportando documentación sobre el trágico suceso. Las reivindicaciones vascas, ahora, se verían apoyadas en el frente internacional por un artista de mundial renombre.*

Además, Inglaterra y los Estados Unidos, los dos países más generosos en la aportación de dinero para socorro de los refugiados, tenían sendas agencias en París y, por supuesto, estaban en estrecho contacto con los dirigentes republicanos. Herman Reissig, presidente de las dos organizaciones americanas que suministraban la mayor parte

DETALLES

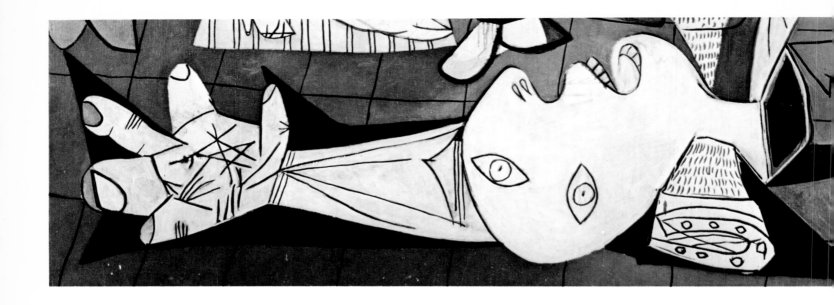

de las ayudas, hacía también las veces de director del *Comité international de coordination et d'information pour l'aide à l'Espagne républicaine*, junto con el autor inglés Norman Angell, el líder comunista francés Jacques Duclos y el omnipresente Willy Münzenberg.

En Londres, el Guernica fue expuesto en las prestigiosas *New Burlington Galleries* entre el 4 y el 29 de octubre de 1938, y a continuación en la *Whitechapel Art Gallery*. La Burlington, una galería privada al lado de Regent Street, atrajo la relativamente baja cantidad de tres mil personas (en comparación con las cincuenta mil de la exposición siguiente, una retrospectiva de Christopher Wood), pero la Whitechapel Art Gallery, situada en el East End, atrajo a doce mil personas. Esto se debió, en parte, al ruidoso apoyo del Partido Laborista y sobre todo a la activa participación de su líder, Clement Atlee, que se había desplazado recientemente a España en apoyo de la causa republicana. Atlee organizó una presentación formal del cuadro en Whitechapel, en la que pronunció un discurso ante un público izquierdista y obrero en su mayor parte.

En Londres, como en París, la exposición del Guernica contó con el apoyo de un reducido grupo de poetas y artistas y de unos cuantos simpatizantes de la República Española. En contraste con París, sin embargo, el cuadro fue atacado duramente por críticos y artistas conservadores.

Varios comentaristas ingleses, Anthony Blunt al frente de ellos, condenaron a Picasso por haber elegido un tema social. En una viva polémica en el Spectator, Blunt acusó a Picasso de haberse encerrado en el templo del arte y de resultar patético cuando se aventuraba a salir al mundo real, ya que ni siquiera había comprendido las implicaciones de la Guerra Civil española, mientras que Herbert Read, en respuesta, citaba el Guernica como prueba de que Pi-casso no se hallaba tan distanciado de la contienda española como Blunt intentaba dar a entender. Picasso no sólo había sido nombrado director honorario del Prado por el gobierno republicano, sino que además había pintado el Guernica para aquel gobierno. Además, proseguía Read, el cuadro había sido sometido al veredicto del público, que era donde, según había dicho Blunt, el arte tenía que ser juzgado, y, en el presente caso, eran miles las personas que lo habían visto en los terrenos de la Feria Mundial de París.

Tras este debate se camuflaba una prolongada batalla entre los surrealistas y los pintores abstractos de un lado, y los marxistas de otro. Blunt, junto con otros muchos licenciados de Cambridge y varios artistas de la Slade School, más conservadora, seguía la línea marxista, según la cual el arte debía servir para los fines del movimiento y en concreto como propaganda. Acusaba a Picasso de haber vivido toda su vida en una torre de marfil —en un «sanctasanctórum»— con una camarilla de estetas, y de ignorar las realidades del mundo contemporáneo. Bajo el título «Picasso, a colgar los hábitos», tildaba al Guernica de «abstrusos circunloquios» carentes de todo sentido para la gente seria, y a continuación procedía a aconsejar a Picasso que procurara ver más que simple horror en la guerra y se abstuviera de producir obras tan complejas o esotéricas que la gente corriente no tenía tiempo ni energías para descifrar.

Read, a su vez, tachó a Blunt de ser uno de esos «doctrinarios de clase media que deseaban utilizar el arte para la propagación de sus romas ideas», en clara referencia al social-realismo propugnado por los regímenes totalitarios. Aprovechó la ocasión para formular su teoría del espíritu moderno en la vida y en el arte, y defendió al Guernica considerándolo una profunda expresión de este espíritu. La monumentalidad de Miguel Angel y del Alto Renacimiento

46. GUERNICA

París, 1 de mayo - 4 de junio de 1937.
3493×7766 mm. (11,5 1/2×25,5 3/4 in)
Oleo sobre lienzo.
Bibl.: Zervos IX, lám. 65, pág. 29.

N.º Reg.: MOMA: E.L. 39. 1095.
     M. PRADO (Casón): 107.

no puede darse en nuestro tiempo, escribió, pues es la nuestra una época de desilusión, desesperación y destrucción. El Guernica «es un monumento a la destrucción, un grito de indignación y horror amplificado por el espíritu del genio». Y añadió, proféticamente: «No sólo Guernica, sino España, no sólo España, sino Europa, están simbolizadas en esta alegoría. Es nuestro moderno calvario, la agonía, en medio de unas ruinas destruidas por bombas de la ternura y la fe humanas. Es un cuadro religioso, pintado no con la misma clase, pero sí con el mismo grado de fervor que inspiró a Grünewald y al Maestro de la Pietà de Avignon, a Van Eyck y a Bellini. No basta con comparar al Picasso de este cuadro con el Goya de los Desastres. Goya fue también un gran artista, y un gran humanista; pero sus reacciones eran individualistas, sus instrumentos la ironía, la sátira, el ridículo. Picasso es más universal: sus símbolos son triviales, como los símbolos de Homero, de Dante, de Cervantes. Porque no es sino cuando al mayor lugar común se le infunde la pasión más intensa cuando nace, trascendiendo todas las escuelas y categorías, una gran obra de arte; y, una vez nacida, vive imperecederamente».

EL «GUERNICA» EN ESTADOS UNIDOS

El lunes 1 de mayo de 1939, el transtlántico francés Normandie atracaba en el muelle de la Calle 48 de Nueva York. A primera hora de la mañana siguiente, el Guernica de Picasso, enrollado en una caja larga de madera, quedaba depositado en la dársena, junto con tres cajas pequeñas que contenían siete pinturas y un montón de dibujos. Se cumplían exactamente dos años desde la fecha en que Picasso había empezado el cuadro que, tras sus tres meses en la Feria Mundial de París, se había convertido en la más famosa de sus obras. La estancia en América, proyectada para unos meses, iba a durar más de cuarenta años. Durante este tiempo, el cuadro había llegado a reconocerse no sólo como uno de los grandes monumentos del arte moderno, sino también como un ejemplo excepcional del poderoso papel que una gran obra de arte puede desempeñar en la configuración de nuestra visión de los horrores de la guerra moderna. En España, el Guernica se ha convertido recientemente en un símbolo de reconciliación de los odios de la misma guerra que impulsó a Picasso a crear el cuadro, y ha llegado incluso a ser una fuerza en la evolución hacia una sociedad española nueva y democrática.

Haciendo guardia en el muelle durante toda la noche, hasta que apareció la histórica pintura, hubo un pequeño grupo de jóvenes, encabezado por Blanche Mahler y Evelyn Ahrend. La mayoría eran estudiantes graduados en la Universidad de Columbia, y todos eran colaboradores voluntarios de la Campaña de Ayuda a los Refugiados Españoles. Uno de ellos, Peter Rhodes, fue quien hizo los

47. CABEZA LLORANDO (IV)

8 de junio de 1937.
291 × 232 mm. (11 1/2 × 9 1/8 in)
Grafito y gouache sobre papel tela.

Firmas e inscripciones: Inf. izq.: 8. Juin 37.

Bibl.: Zervos IX, lám. 48, pág. 22. Larrea: lám. 84. Arnheim: lám. 46, pág. 122.

N.º Reg.: MOMA: E.L. 39. 1093. 30.
         M. PRADO (Casón): 153.

A partir de este dibujo comienza la serie denominada «postscriptos» del «Guernica», ya que recoge obras realizadas con posterioridad al cuadro pero que siguen la temática de esta obra. Su único motivo es la mujer llorando que enlaza en cierto modo con el «planctum» de las mujeres llorando de las pinturas medievales.

En toda esta serie hay variaciones sobre la expresión más o menos crispada de los rostros y es de señalar las diversas experiencias que realiza el artista sobre la forma de los ojos lacrimosos.

8 juin 37.

115

acuerdos concretos con el poeta *Juan Larrea* y el propio *Picasso* en *París* para enviar el Guernica a *América*. *Picasso* estaba tan entusiasmado con el proyecto que pagó él mismo los gastos del regreso a *París* del cuadro, que había estado en una exposición en *Londres*, para que pudiera embarcarse directamente a *Nueva York*. *Dejó claro que su propósito era recaudar fondos para los refugiados españoles, que habían salido del País Vasco y de Cataluña y se estaban amontonando por toda la frontera francesa, y pidió al grupo americano que enviara una parte de los ingresos a Larrea para ayudar a los intelectuales.*

La Campaña de Ayuda a los Refugiados Españoles fue organizada en 1936 por German Reissig, un pastor protestante socialista, y tenía una selecta lista de patrocinadores, entre los que figuraba el Secretario del Interior, Harold Ickes, como presidente honorario, Malcolm Cowley, Theodore Dreiser, Albert Einstein, Lillian Hellman, Ernest Hemingway, Archibald MacLeish, Thomas Mann, Edna St. Vincent Millay, Robert Millikan, Lewis Mumford, Dorothy Parker, James Roosevelt, Harold Urey y muchos otros ciudadanos eminentes. El objetivo inmediato de la campaña era enviar a las fuerzas republicanas alimentos, ropas, personal hospitalario y material médico, incluida la primera sala de operaciones ambulante.

En junio de 1937, como parte de una intensa campaña de recaudación, el grupo expuso y vendió carteles republicanos de la guerra española y cuadros sobre la guerra donados por artistas americanos. En este momento, Picasso hizo para la Campaña de Ayuda su primera declaración sobre sus intenciones al crear el Guernica, escrita mientras todavía estaba trabajando en el cuadro. Había donado también una serie de aguafuertes, y algunas pinturas y dibujos. Pero cuando llegó el Guernica, los voluntarios de la Campaña de Ayuda buscaron la colaboración del Congreso de Artistas Americanos. El grupo había hecho exposiciones circulantes del arte de algunos miembros del congreso, y sus líderes, Stuart Davis y Max Weber, estaban ya en contacto con Picasso, y habían obtenido su compromiso de hablar ante su mitin de 1937 en Nueva York. Sidney Janis, que tenía mucha relación con los artistas y era presidente del comité de exposición del Guernica de la Campaña de Ayuda, contrató la nueva y espaciosa Valentine Gallery, en el n.º 16 de la calle 57 Este (Janis no tenía todavía su galería propia).

La Campaña de Ayuda se dirigió a Picasso por primera vez en septiembre de 1938, con la petición de que prestara el Guernica para una gira por América. Aunque la crítica Elizabeth McCausland había hecho una solicitud así en 1937, poco después de que el cuadro se expusiera en París, el éxito de la petición correspondió a un refugiado español, Antonio Villaplana, desertor del ejército de Franco, que estaba viajando por América a beneficio de los refugiados. El Guernica estaba en ese momento en camino

48. CABEZA LLORANDO (V)

8 de junio de 1937.
291 × 232 mm. (11 1/2 × 9 1/8 in)
Grafito, barra de color y gouache gris sobre papel tela.

Firmas e inscripciones: Inf. izq.: 8. Juin 37.

Bibl.: Zervos IX, lám. 46, pág. 22. Larrea: lám. 85. Arnheim: lám. 47, pág. 123.

N.º Reg.: MOMA: E.L. 39. 1093. 31.
            M. PRADO (Casón): 154.

Variación sobre el mismo tema de la mujer llorando. Dominique Bozo dice de esta serie:

«Pero, hemos de preguntarnos, ¿por qué entonces esas «mujeres llorando», esas figuras histéricas de 1937, tan terriblemente mutiladas, deformadas y crispadas de dolor, arañándose el rostro o apretando con rabia un pañuelo? La respuesta es: porque Picasso veía en torno a sí mujeres que lloraban. Esas figuras surgen justamente del drama de la guerra. Picasso quería, debía expresar el drama, sobre todo, de la guerra civil española pero también, en visión premonitoria, el horror de la guerra más general que se anunciaba. No estamos pues aquí sólo frente a la figura llorosa de la tragedia española, y esos rostros de mujeres, aunque sean identificables, exceden con mucho de la representación individual o particular de los modelos. Son como un grito de la humanidad desgarrada y martirizada.»

desde París hacia la correspondiente agencia de ayuda a los refugiados en Londres, para ser expuesto en las *New Burlington Galleries (4-29 de octubre, 1938).* Aunque Picasso había declinado la invitación de Alfred Barr de dejar el Guernica *para la apertura, en mayo de 1939, del nuevo edificio del Museum of Modern Art en la calle 53 Oeste, por este tiempo Barr había convenido sin duda con Picasso la inclusión del* Guernica *en la más amplia retrospectiva de su obra reunida hasta entonces, cuya inauguración estaba fijada para noviembre de 1939. El hecho de que Barr hubiera acordado reembolsar a la Campaña de Ayuda los gastos del embarque del cuadro hasta Nueva York, y, naturalmente, devolverlo a Picasso tras la exposición a expensas del Museum of Modern Art, demuestra que Barr y el comité trabajaban juntos, y también que la intención de Barr era que el cuadro volviera a manos de Picasso tras su exhibición.*

El doble aliciente de una obra de fama mundial y el beneficio para los refugiados de la guerra atrajo a una distinguida audiencia procedente del mundo del arte, la política y la alta sociedad, entre la que figuraron Stephen C. Clark, Simon Guggenheim, John Gunther, William A. Harriman, Averell Harriman, Pierre Matisse, Gerald Murphy, Georgia O'Keeffe, William S. Paley, Eleanor Roosevelt, Vincent Sheean, Thornton Wilder, Mrs. Caspar Whitney y el último presidente de gobierno de la República española, Juan Negrín. Cien personas asistieron a la inauguración privada, pagando 5 dólares cada una, el 5 de mayo de 1939, y en las tres semanas que duró, vieron la exposición unas 2.000 personas en total, multitud insólita en esos días, especialmente durante la semana de apertura de la Feria Mundial de Nueva York. El Congreso de Artistas Americanos organizó dos simposios, uno de ellos ante el cuadro y otro en el Museum of Modern Art, dirigido por Walter Pach y en el que intervinieron Arshile Gorky, Malcolm Cowley, Peter Blume y el crítico Jerome Klein.

Sidney Janis preparó una gira para la exposición que se iniciaría en la Stendhal Gallery de Los Angeles, patrocinada por el Motion Picture Artists Committee for Spanish Orphans. En la cuidada sesión preinaugural del 10 de agosto se reunieron luminarias del mundo cinematográfico, muchas de las cuales, como Fritz Lang, Galka Scheyer, George Balanchine, Ernst Lubitsch, Luise Rainer, Ernest Toch y otros eran, efectivamente, refugiados a su vez. Estuvieron, además, Culbert Olson, gobernador de California, Walter Arensberg, Bette Davis, Dashiell Hammet, Dorothy Parker, Edward G. Robinson, y, de hecho, la mayor parte de la comunidad cinematográfica. El Guernica *estaba expuesto en el Museum of Art de San Francisco cuando, el 3 de setiembre, se inició la Segunda Guerra Mundial, prestándole un significado nuevo y más amplio. El 3 de octubre abrió la temporada de otoño con gran solemnidad en la Wrigley Tower, bajo los auspicios*

49. CABEZA LLORANDO (VI)

13 de junio de 1939.
291 × 231 mm. (11 1/2 × 9 1/8 in)
Grafito, barra de color y gouache gris sobre papel tela.

Firmas e inscripciones: Inf. izq.: 13. Juin 37.

Bibl.: Zervos IX, lám. 47, pág. 22. Larrea: lám. 86. Arnheim: lám. 48, pág. 123.

N.º Reg.: MOMA: E.L. 39. 1093. 32.
M. PRADO (Casón): 155.

Variación de las anteriores en la cual podemos ver cómo Picasso, después de realizado el «Guernica», vuelve a experimentar con el color.

13. juin. 37.

del *Arts Club de Chicago. La exposición constituyó el centro de varios acontecimientos sociales, y la prensa le concedió en Chicago más atención que en cualquiera de las ciudades precedentes.*

Después de pagar los numerosos gastos, los fondos recabados por la gira parece que fueron algo menores de lo que Picasso esperaba. El creía que se alcanzarían unos 10.000 dólares, basándose probablemente en el promedio de las contribuciones de la campaña americana a las agencias de ayuda en Francia. La exposición de Hollywood, en la que puso especial empeño, tuvo 753 visitantes y recaudó 250 dólares; en San Francisco, la recaudación fue de 535 dólares, y en Chicago de 208 dólares. El cálculo de la exposición de Nueva York, más larga, y en la que la entrada costaba 25 centavos, hacía esperar unos ingresos de 2.000 dólares, y llegó a 1.700. De éstos, Larrea recibió 700, seguramente para refugiados intelectuales, como Picasso deseaba. Aún se contraería una nueva e imprevista deuda con muchas personas cuyos nombres figuraron como beneficiarios y contribuyentes a la Campaña de Ayuda cuando, en el período de la guerra fría, recayó sobre ellos la sospecha de haber servido a los intereses del Partido Comunista, y fueron a veces sometidos a incesantes investigaciones e interrogatorios.

Aunque las exposiciones fueron breves (de una a tres semanas) y todas se prepararon a corto plazo y con poco avance publicitario, provocaron apasionadas controversias tanto en el terreno artístico como el político. Gracias en gran parte a lo sensacional de su tema, el Guernica *se convirtió en la obra de arte más discutida de la época, aun cuando el episodio del bombardeo de Guernica se habría borrado de la conciencia del mundo de no ser por las poderosas imágenes de Picasso.*

El Guernica *asumió un nuevo papel al unirse a la gran retrospectiva de Alfred Barr, «Picasso, cuarenta años de su arte», en el Museum of Modern Art que se abrió el 15 de noviembre de 1939. Por vez primera, la pintura podía contemplarse como una etapa importante en la evolución del arte de Picasso, junto con las* Demoiselles d'Avignon, *que acababa de ser adquirida por el museo, y la* Muchacha ante el espejo, *que ya estaba en la colección. De las 360 obras de la muestra, 95, entre ellas el* Guernica *y los bocetos preparatorios, fueron prestadas por Picasso. Así, por primera vez, el* Guernica *quedó engarzado en la obra de Picasso, después de haberse convertido en parte de la historia de la guerra civil española, pasaba ahora a formar parte de la historia del arte.*

De acuerdo con los deseos de Picasso, aunque discrepando a veces con las advertencias del departamento de conservación (el cuadro había sido desmontado del bastidor y enrollado en cada traslado), Alfred Barr permitió que el Guernica *se expusiera en muchos lugares. El estallido de la Segunda Guerra Mundial y las propias preferencias de Picasso de-*

50. CABEZA LLORANDO (VII)

15 de junio de 1937.
117 × 88 mm. (4 5/8 × 3 1/2 in) irregular
Grafito, temple y gouache coloreado sobre cartulina.

Firmas e inscripciones: Fechado en el reverso con barra de color rojo: 19. Juin 1937.

Bibl.: Zervos IX, lám. 53, pág. 24. Larrea: lám. 88. Arnheim: lám. 49, pág. 123.

N.º Reg.: MOMA: E.L. 39. 1093. 51.
M. PRADO (Casón): 156.

En este pequeño dibujo vuelve a aparecer el tema de la mujer que llora. Cabe señalar la importancia de la mirada hacia lo alto debida al exagerado alargamiento del cuello.

121

terminaron que el Guernica, *junto con otras obras prestadas para la retrospectiva, permanecieran el tiempo que durara la guerra bajo la custodia del Museum of Modern Art, donde la pintura estaba bien cuidada y gozaba de una exposición acorde a su importancia. En enero de 1940 viajaba al Art Institute de Chicago junto con la retrospectiva, y luego, para los veranos de 1941 y 1942, al Fogg Museum de la Universidad de Harvard y a otros varios museos de América, y después a Brasil, donde figuró en la Bienal de São Paolo. En 1955-56 volvió a Europa, para una gran gira por los museos de Colonia, París, Munich, Bruselas, Estocolmo, Hamburgo y Amsterdam.*

El marchante Valentin Dudensing había expuesto a menudo obras recientes de Picasso durante los seis años anteriores: así pues, el Guernica *se encontraba en América en un terreno familiar. La presencia de los 59 bocetos, que no se habían exhibido en París, causó sensación, y fueron objeto de universal admiración, incluso por parte de aquéllos que no podían comprender el cuadro. Los bocetos estaban en estrecha relación con pinturas y aguafuertes anteriores de Picasso, tanto por estilo gráfico como por la iconografía familiar del toro, el caballo, el guerrero y la madre con el niño, y la exposición en su conjunto fue acogida más como un acontecimiento artístico que como un documento de guerra.*

En realidad, casi todos los críticos americanos ignoraban el tema del cuadro. En mayo de 1939 la guerra civil había terminado con la derrota total, un mes antes, de la República; el gobierno de Franco había sido reconocido; las colecciones del Prado, del que Picasso era conservador honorario, habían regresado de Ginebra a España; y el ritmo creciente de las conquistas del nazismo hacía que la guerra a escala mundial pareciera inevitable. Todavía la amenaza de guerra estaba muy lejos de América, y la Feria Mundial de Nueva York había hecho cundir la esperanza y la pretensión de que ayudaría a restaurar la paz en el mundo. Cuando se abrió la exposición Picasso, Polonia había sido invadida, y las imágenes del Guernica *podían haberse interpretado como una profecía del destino de toda Europa. Sin embargo, el cuadro fue tratado constantemente en relación con sus cualidades formales; la observación del crítico Henry McBride, de que el* Guernica *fue pensado como propaganda, «pero terminó como algo inmensamente más importante: una obra de arte», fue citada a menudo. Stuart Davis la encomió como una de las síntesis formales más grandes de todos los tiempos, reflejando la preferencia por la abstracción de la mayoría de los principales artistas americanos. Pero tanto críticos como artistas reconocieron que la potencia emocional del* Guernica *era consecuencia de la primera tentativa de Picasso de, en palabras de Elizabeth McCausland, sacar su mirada «de las profundidades de la experiencia subjetiva para volverla a las tragedias de la experiencia social». El* Guernica *durante su estancia en los Estados Unidos se convertiría, por tanto, en una de*

51. CABEZA DE MUJER LLORANDO CON PAÑUELO (I)

22 de junio de 1937.
550 × 463 mm. (21 5/8 × 18 1/8 in)
Oleo sobre lienzo.

Firmas e inscripciones: Inf. centro: 22. Juin 37.

Bibl.: Zervos IX, lám. 52, pág. 24. Larrea: lám. 87. Arnheim: lám. 50, pág. 124.

N.º Reg.: MOMA: E.L. 39. 1093. 38.
    M. PRADO (Casón): 157.

Picasso ensaya aquí, por vez primera, el repetido tema de la mujer llorando en óleo sobre tela.

Aunque predomina una tonalidad grisácea general, destaca también el tono azul del cabello y el verde de la parte inferior.

Los ojos continúan en posición contrapuesta y se introduce el pañuelo que acentúa el sentimiento de dolor de la mujer.

las respuestas (y quizá la más brillante) a esa combinación entre la atracción por el compromiso social y político y la innovación formal que constituye, también, el reto de todo pintor del siglo XX.

En 1957 se haría una segunda gran exposición de Picasso en el Museo de Arte Moderno y, al año siguiente, el pintor español pidió la devolución de los otros cuadros no relacionados con el Guernica, *que el museo tenía en sus manos. Al tiempo, dio instrucciones al museo para que el* Guernica *no fuera de nuevo enrollado y prestado por los obvios deterioros que el cuadro había sufrido. El único cambio de ubicación que habría de sufrir se produciría en 1964, cuando fue trasladado al tercer piso del museo, en donde ha permanecido hasta el 9 de setiembre de 1981. Las peticiones de exhibición de otros países del mundo fueron en adelante rechazadas por el museo, de acuerdo con la opinión de Picasso.*

En junio de 1967, el Museo de Arte Moderno de Nueva York celebró el 30º aniversario de la presencia del cuadro en sus salas. De dicha presentación, acompañada de un texto escrito, merece la pena señalar dos importantes aspectos. En primer lugar, el cuadro con el alejamiento de la guerra civil había empezado a perder significación política precisa y la había trascendido. Del Guernica *se decía que había sido susceptible de muchas interpretaciones, pero que su autor le había negado una significación política explícita y, en cambio, le había convertido en una condena de la guerra y de la brutalidad; trascendiendo el acontecimiento que motivó su creación era ya una obra maestra. En segundo lugar, se decía que el cuadro estaba en depósito por parte del artista hasta que él decidiera su último destino.*

Aunque, en realidad, el Guernica *siempre había tenido en la mente de Picasso un destino preciso y conocido (el Museo del Prado) en esta declaración del Museo de Arte Moderno de Nueva York quedaba abierto y previsible el destino final del cuadro. Exhibido por vez primera en territorio español, aunque en un país extranjero, con el paso del tiempo debía volver a él no ya como un símbolo de la división de los españoles, sino de reconciliación entre ellos.*

HERSCHEL B. CHIPP

EL «GUERNICA» Y SUS TRABAJOS PREPARATORIOS

Picasso empezó a trabajar en el Guernica *el sábado 1 de mayo de 1937, con un apunte muy somero (n.º 1). Había diferido su comienzo durante cuatro meses, al parecer sin haberle dedicado al asunto otro pensamiento que el saber que un cuadro suyo habría de ser expuesto en la inauguración de la Feria Mundial de París, veinticuatro días más*

52. MADRE CON NIÑO MUERTO (I)

22 de junio de 1937.
550 × 463 mm. (21 5/8 × 18 1/8 in)
Grafito, barra de color y óleo sobre lienzo.

Bibl.: Zervos IX, lám. 49, pág. 22. Larrea: lám. 90. Arnheim: lám. 51, pág. 124.

N.º Reg.: MOMA: E.L. 39. 1093. 27.
M. PRADO (Casón): 158.

En esta obra, de carácter mucho más lineal, utiliza de nuevo el óleo y lo combina con lápiz de color realizando manchas independientes de color amarillo, azul, verde, magenta y naranja.

Aparece de nuevo el elemento arquitectónico de la ventana en un extremo, visto ya en «Guernica».

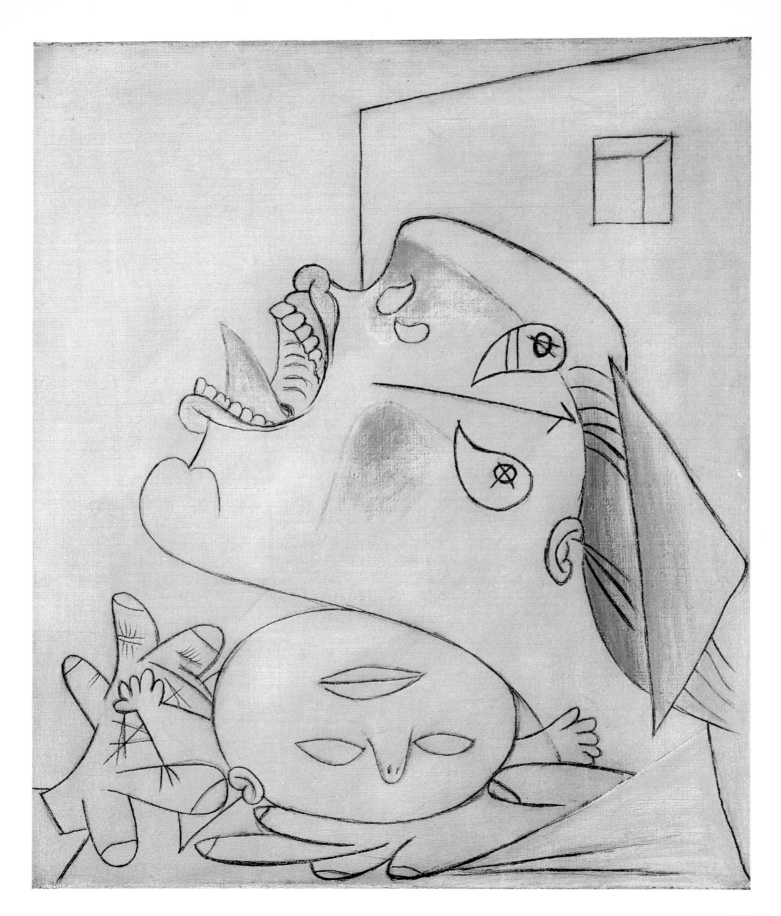

tarde, tiempo más que justo para completar un cuadro de unos siete metros y medio, aun en el supuesto de que ya lo hubiera tenido claramente pensado.

La motivación inmediata para el inicio de la tarea fue el impresionante bombardeo de la villa vasca de Guernica, cuyas primeras fotografías habían aparecido en París el 30 de abril. Esta noticia se vio intensificada por la agonía de la Guerra Civil, la cual, a lo largo de sus diez primeros meses, había afectado personalmente a Picasso en varias ocasiones. Picasso, además, acababa de atravesar un período plagado de dolorosos conflictos en su vida personal, y dichos conflictos habían originado la imaginería de gran parte de su arte entre 1933 y 1937 aproximadamente. Estas imágenes y símbolos constituyen una especie de iconografía de su vida. Con frecuencia se expresan en un simbolismo cuasi surrealista en el que se hallan presentes minotauros y mujeres, así como el conocido tema del forcejeo entre el caballo y el toro, proveniente de la corrida.

Su primera reacción ante la noticia del bombardeo, y ante las fotografías de las ruinas de la ciudad arrasada, no fue, desde luego, ilustrar el bombardeo mismo. No hay aviones, ni bombas, ni explosiones, ni tampoco nada que recuerde a la propia villa de Guernica, que él no había visto nunca. La primera imagen del tema que al final habría de dominar el cuadro no le vino de los hechos relativos a la trágica destrucción de la ciudad, dramáticos como eran, sino más bien de las corridas. El motivo de la corrida había dominado el arte picassiano desde su infancia (véase su dibujo hecho a los 8 años), y parece indudable que, al echar mano de la imagen más emotiva posible de su propia experiencia personal, no era tanto con el fin de transmitir la impresión y los aspectos del suceso en sí cuanto la intensidad de sus propios sentimientos al respecto. Además, eligió un momento de extremado patetismo, doloroso de contemplar, a veces, hasta para los aficionados más curtidos: cuando el toro embiste, el cuerpo desprotegido del caballo. Picasso siempre dibujó el caballo sin el peto acolchado que por 1937 llevaba todavía poco tiempo utilizándose. De hecho, él se había declarado enemigo de la utilización del peto porque consideraba que inhibía el espíritu combativo del toro y que disminuía su satisfacción instintiva al acometer contra el caballo.

EL PRIMER DIBUJO
DEL PRIMERO DE MAYO

La primera visión que Picasso tuvo del Guernica estaba, así pues, relacionada con un lance, muy familiar para él, de la corrida: la embestida del toro contra el caballo. Es la escena taurina que con mayor frecuencia aparece en su obra y se remonta a su infancia malagueña. En el primer boceto el toro está representado orgullosamente er-

53. CABEZA LLORANDO (I)

15 de junio de 1937.
550 × 463 mm. (21 5/8 × 1/8 in)
Grafito, barra de color y óleo sobre lienzo.

Bibl.: Zervos IX, lám. 54, pág. 24. Larrea: lám. 91. Arnheim: lám. 52, pág. 125.

N.º Reg.: MOMA: E.L. 39. 1093. 26.
M. PRADO (Casón): 159.

Obs.: En el lateral izquierdo, bajo la pintura oscura, se observan rastros de un brazo y una mano.

De la misma técnica que el anterior, aunque con una tonalidad grisácea más uniforme, esta cabeza aparece más trabajada, principalmente la boca y los ojos, donde concentra toda su expresión.

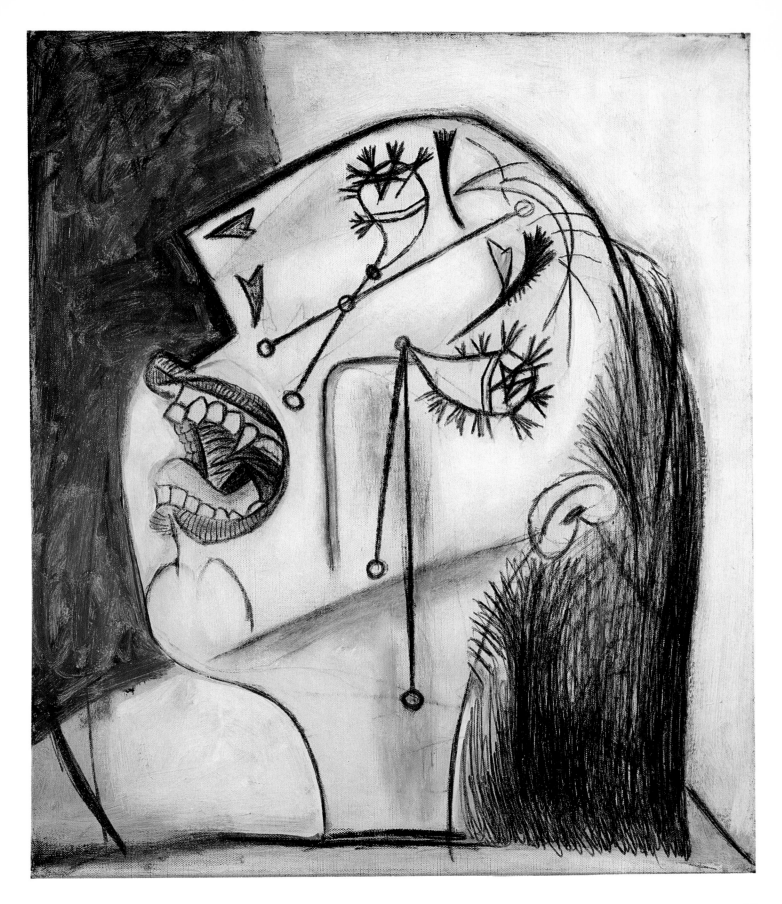

guido, mientras el caballo yace muerto con una pata en el aire, extendida de modo grotesco.

La imagen más definida es, sin embargo, la de la alarmada mujer que observa la escena desde la ventana de un segundo piso. Asimismo es ésta la única imagen que persistirá invariable desde el primer boceto hasta el cuadro final. Esta disposición teatral, como de escenario, se había visto ya muchas veces con anterioridad —incluido el testigo del conflicto trágico— en la obra de Picasso, como, por ejemplo, en las dos mujeres que observan al trágico hombre-toro desde la ventana de un segundo piso en la Minotauromaquia de 1935. Esta imagen previa, así como ciertas asociaciones dolorosas de carácter personal, le volvieron tal vez a la memoria y se vieron reforzadas y acentuadas por los desolados muros y las vacías ventanas de la primera fotografía que de la ciudad devastada llegó a París. La que aquí reproducimos procede de Le Figaro del día anterior, viernes 30 de abril, pero la misma apareció en la mayoría de los periódicos de París aquel día o al siguiente. Junto con los sensacionalistas titulares del miércoles 28 y el jueves 29 de abril, las primeras fotografías del devastador ataque aéreo sin duda causaron una fuerte impresión en aquel español que, por estar profundamente comprometido en aquel momento con la causa republicana, ya se consideraba un refugiado.

LA MUJER RUBIA

La imagen más nítida y enérgica del primer boceto es la alarmada observadora asomada a la ventana alta. Su identidad queda aclarada en un detalle del tercer apunte del 1 de mayo, donde aparece el perfil más conocido de toda la obra de Picasso (n.º 3). Se parece enormemente a Marie-Thérèse Walter, cuyos rostro y cuerpo habían dominado el arte picassiano desde 1931. Tiene unos ligeros toques de pintura ocre, la única empleada aquel día. A lo largo de aquellos años tan conflictivos, el perfil de Marie-Thérèse había aparecido a menudo como observador comprensivo —de escenas críticas por lo general, pero siempre como espectador sereno y afable—. Dos veces se ve su tipo de rostro en la ventana alta que domina el trágico escenario de la Minotauromaquia de 1935, y no cabe duda de que es su imagen, repetida numerosas veces, la que obra como testigo de las furiosas lidias del verano de 1934. Cuando, en la serie de aguafuertes de mayo de 1933, el Minotauro convierte una idílica bacanal en una sucesión de violaciones brutales y a continuación muere en el ruedo como un animal, una mujer que se parece a ella asoma entre los tendidos con un tierno gesto compasivo. Su imagen consoladora aparece en otros momentos críticos: por ejemplo, encarnada en un diestro, también en la Minotauromaquia de 1935, que vuelve hacia un lado la espada que normalmente apunta al corazón del animal. Esta figura observadora y compa-

54. MUJER LLORANDO (I)

2 de julio de 1937.
692×494 mm. (27 1/4×19 1/2 in), plancha
774×566 mm. (30 1/2×22 1/4 in), papel
Aguafuerte y aguatinta, 3.er estado.

Firmas e inscripciones: Inf. izq.: 6/15. Inf. der.: Picasso.

Bibl.: Bloch I, lám. 1.333, pág. 288. Larrea: lám. 94. Arnheim: lám. 54, pág. 126.

N.º Reg.: MOMA: E.L. 39. 1093. 42.
M. PRADO (Casón): 160.

El 2 de julio Picasso realiza dos grabados insistiendo en este tema de la mujer llorando con un pañuelo. Estos dos aguafuertes (n.os 54 y 55), confirman el interés del artista en realizar este tema con diversas técnicas.

Citada por Miró como contemporánea del «Guernica»: «Recordo com grabava en una planxa molt grand una dona que plora». «Diario de Barcelona», 11 de setiembre de 1981.

129

siva —como si correspondiera a la cariñosa atención que el Minotauro le había dedicado cuando era el velador de su sueño— es siempre solícita y amorosa.

LA CORRIDA

El primer pensamiento que se le vino a Picasso a la cabeza al ponerse a dibujar fue el tercio de varas, el momento de la embestida del toro contra el caballo del picador. En su niñez y a lo largo de toda su vida estuvo tan obsesionado por este lance concreto que casi llegó a excluir de su obra las demás suertes taurinas. Su primer óleo, pintado a los ocho años, era un picador a caballo aguardando al toro; en un cuaderno (probablemente de sus años malagueños, y por tanto anterior a su noveno aniversario), hay un dibujo de un toro embistiendo y un caballo herido. La concepción picassiana del toro en pie, orgulloso, desentendido del caballo que se retuerce de dolor, hizo ya acto de presencia en su infancia y dominó todas sus escenas taurinas con excepción de las del período de tortuosos conflictos del verano de 1934. Esa concepción se ajusta a la tradicional visión del toro de lidia como animal admirable y heroico cuyas cualidades proporcionan un modelo digno de emulación para los jóvenes, y del caballo como un simple actor secundario, neutral y carente de emotividad, en la representación del drama.

Aunque el choque entre el toro y el caballo estuvo ausente de la iconografía y del clima emocional de la Epoca Azul y del cubismo, reapareció poco después. En 1917, durante el verano, que Picasso pasó en Barcelona con el Ballet Ruso, apareció una larga serie de estudios sobre el tema. El hecho de que el pintor hubiera seguido al ballet desde Roma hasta Barcelona para permanecer al lado de una de las bailarinas, Olga Koklova, y de que además se hubiera prometido con ella, puede contribuir a explicar la insistencia con la que el toro hurga y explora el cuerpo del caballo. El combate se ve ahora como un asalto o ataque sumamente personal por parte del toro, con la acción embestidora de los cuernos como motivo central. El ritual de la corrida se desvanece. La progresiva disociación por parte de Picasso entre este combate y el ritual de la corrida, así como su humanización —por no decir su erotización—, como en el improbable choque o embestida de 1917, le ha granjeado la oposición de algunos aficionados taurinos.

La versión de Picasso evoca con claridad, en la misma medida que la corrida, un encuentro amoroso entre un hombre y una mujer. Tanto ésta como otras muchas de las imágenes que aparecen en los bocetos para el Guernica *están repletas de recuerdos personales. De este modo, adquieren una potencia emocional suplementaria mucho más fuerte que si se limitaran a representar un mero lance de la corrida o incluso de la guerra.*

Al evitar por completo el enfrentamiento entre el hombre

55. MUJER LLORANDO (II)

2 de julio de 1937.
691 × 494 mm. (27 1/4 × 19 1/2 in), plancha
772 × 564 mm. (30 3/8 × 22 1/4 in), papel
Aguafuerte y aguatinta, 6.º estado.

Firmas e inscripciones: Inf. izq.: 4/15. Inf. der.: Picasso.

Bibl.: Bloch I, lám. 1.333, pág. 288. Larrea: lám. 95. Arnheim: lám. 55, pág. 127. Blunt: lám. 1, (portada).

N.º Reg.: MOMA: E.L. 39. 1093. 43.
   M. PRADO: (Casón): 161.

Prácticamente idéntico al anterior, se puede apreciar una mayor insistencia en el claroscuro, lo que correspondería a una posterior fase en su ejecución.

131

y el animal, el episodio más pleno de sentido y por tanto más cargado de emoción, y escoger en su lugar el encuentro entre el toro y el caballo, Picasso procura un contexto que, precisamente por carecer de significación ritual, ofrece más vastas posibilidades para la expresión de otros significados más amplios. El padecimiento del caballo se presta bien al motivo del sufrimiento de las víctimas de Guernica, del mismo modo que también había servido para expresar los propios sufrimientos de Picasso en sus años de conflicto personal.

Este lance, en el que, mientras el toro trata de cornear al caballo, el picador hinca a su vez la vara en los tensos músculos del cuello del animal, es uno de los momentos de mayor intensidad de la corrida. Para el toro supone que, a pesar de estar gozando de un instante de suprema satisfacción instintiva, se le está asimismo infligiendo un severo castigo que mermará sus facultades ofensivas y le hará víctima más propiciatoria de la espada del diestro en el acto final. Las implicaciones sexuales de este simbólico acto de la muerte han sido objeto de numerosos comentarios y estudios y parecen subyacer a la serie de encuentros entre toro, caballo y hombre que Picasso realizó en el verano de 1934.

Una serie de aguafuertes titulada Femme Torero (de finales de junio de 1934), derivada de los grupos figurativos de toro, caballo y picador caído de los años 20, nos presenta a tres personajes en un dramático triángulo cargado de emoción. La mujer rubia, más seductora que nunca, es arrebatada a lomos del toro, más como si se tratara del rapto de Europa que de un accidente taurino. Y el animal, al tiempo que estampa en sus labios un beso apasionado, pisotea en el suelo al caballo destripado y aterrorizado, como la víctima del Guernica de tres años más tarde. El elenco de este drama sanguinario de 1934 —como una tragedia amorosa de García Lorca— conformará los personajes, e incluso la composición, del boceto n.º 6 del 1 de mayo, primera versión que del grupo central de figuras del Guernica hizo Picasso. El toro herido se encarama sobre el caballo agonizante, que se retuerce en el suelo con el cuello estirado. Este grupo persistirá hasta llegar a convertirse en el grupo central según la concepción final del cuadro.

EL ULTIMO DIBUJO DEL PRIMERO DE MAYO

Tras haber establecido en el primer dibujo el tema de la corrida, los demás bocetos del primer día exploraban una amplia variedad de posibilidades de representación del caballo aislado. En algunos dibujos es semi-abstracto, pero en el último el caballo aparece también como una criatura fantástica y repulsiva más parecida a un insecto que a un animal. En otro es una simplificadísima figura de palo,

56. CABEZA LLORANDO CON PAÑUELO (I)

4 de julio de 1937.
253 × 171 mm. (10 × 6 3/4 in)
Tinta, sobre papel de dibujo blanco.

Firmas e inscripciones: Inf. der.: Juillet 37.

Bibl.: Zervos IX, lám. 56, pág. 25. Larrea: lám. 97. Arnheim: lám. 56, pág. 128.

N.º Reg.: MOMA: E.L. 39. 1093. 54.
M. PRADO (Casón): 162.

De todos los dibujos éste es el que tiene un carácter más escultórico. Como detalle se observa cómo la mujer en su desesperación muerde con sus dientes el pañuelo que le sirve de consuelo.

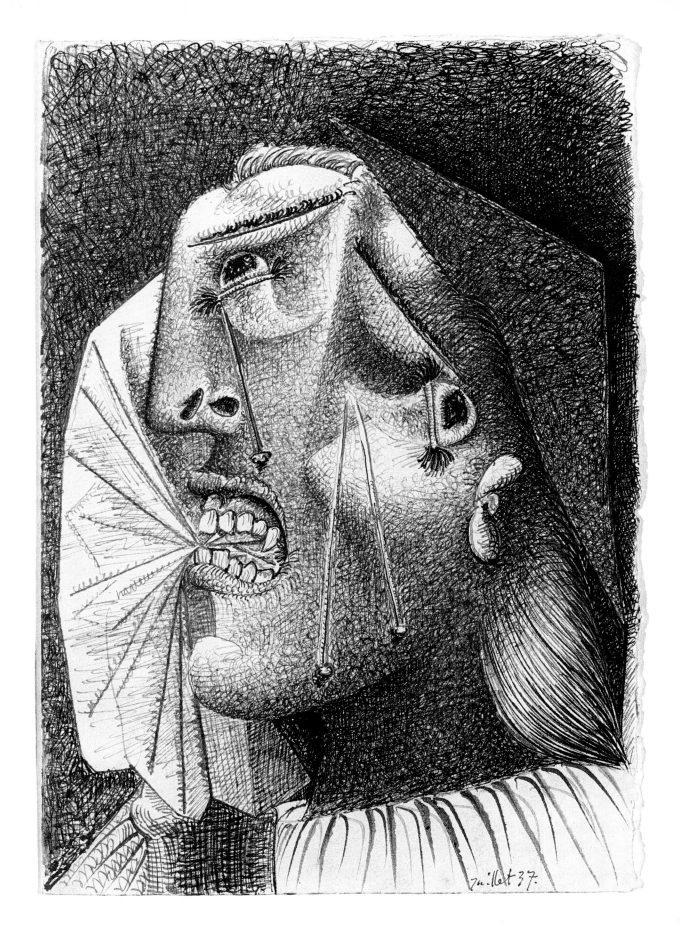

como dibujada por un niño, a la que se ha añadido una diminuta figura de hombre en el mismo estilo. *La amplitud de la imaginación de Picasso queda bien demostrada en un dibujo en el que el caballo aparece trazado todavía en otro estilo más, una interpretación muy realista. Sin duda el caballo ha sido derribado al suelo por el toro, y está tratando de mantener el equilibrio sobre una pata y una rodilla, mientras se esfuerza por levantar la cabeza y el cuello. Esta postura, a lo largo de la vida entera de Picasso, se ve una y otra vez, tanto en bocetos como en cuadros acabados, incluso en los cuadernos de dibujos de sus ocho años. Es un tema corriente en los numerosos cuadros taurinos realizados en Barcelona entre 1898 y 1902 aproximadamente, y reaparece con frecuencia. No cabe duda de que en la elección de este motivo le influyó el gran ejemplo de las corridas de Goya y sobre todo la serie de grabados de la* Tauromaquia, *que había estudiado siendo alumno de la Academia de San Fernando en Madrid.*

Al término del trabajo del sábado 1 de mayo, tras cinco someros apuntes, el concepto básico del Guernica, *tal y como quedaría al final, estaba, en lo esencial, completo. El sexto boceto es grande y está compuesto con sumo cuidado, utilizando todos los elementos desarrollados hasta entonces. La orgullosa postura del toro encaramándose sobre el caballo, cuyos cuello y cabeza se estiran agonizantes, la víctima caída y la alarmada observadora permanecerían todos esencialmente invariables desde la primera concepción hasta la fase última del cuadro.*

La herida en el costado del caballo, aparentemente relacionada, en su aspecto formal, con las heridas producidas por la embestida del toro anteriormente representadas, persiste en todos los bocetos. Hace pensar en la opinión de García Lorca de que las heridas, y sobre todo la sangre, son elementos esenciales en lo que él llamaba duende, *y por tanto requisitos previos para toda tragedia. Para Lorca, el dolor intensificaba la emoción con una sensación de muerte. Pero las heridas del caballo parecen tener significados cambiantes. Son eróticos en la serie de choques entre toro y caballo de 1917, repulsivos en los destripamientos del verano de 1934, y repulsivos y simbólicos en* Sueño y mentira de Franco. *Esta persistencia de ciertas imágenes como medio de expresar diferentes significados se ha comprobado que es característica del arte de Picasso desde sus primeros dibujos.*

Estas imágenes, parte ya del arte de Picasso, despertaron con la impresión de la noticia del bombardeo y de los sufrimientos de las víctimas, e incorporaron al nuevo cuadro asociaciones múltiples y cambiantes en niveles varios de significado. Le evocaron períodos de extremado sufrimiento de su propia vida, las heridas y la sangre del lance entre toro y caballo, y la tragedia que había abrumado a sus compatriotas. Las diferentes imágenes y los recuerdos que las acompañaban, brotando de estas hondas fuentes, convergieron, como en su poesía, en una yuxtaposición de excepcional

57. CABEZA LLORANDO CON PAÑUELO (II)

6 de julio de 1937.
152×115 mm. (6×4 5/8 in)
Tinta y grafito sobre papel sepia.

Firmas e inscripciones: Inf. izq.: 6. Juillet 37.

Bibl.: Zervos IX, lám. 57, pág. 25. Larrea: lám. 92. Arnheim: lám. 57, pág. 128.

N.º Reg.: MOMA: E.L. 39. 1093. 53.
          M. PRADO (Casón): 163.

De características similares a las anteriores, destaca la expresión que alcanza el dibujo a pluma sobre la cartulina color sepia.

fuerza pictórica. Su resonancia a distintos niveles de significado, aunque llena de ambigüedades, proporciona una fuerza equiparable a la del dramatismo del tema.

Al final de aquel primer día de trabajo Picasso había hecho cinco bocetos a lápiz y a continuación se aplicó al último. Fue el primer bosquejo de composición del grupo central al completo, con toro, caballo, la mujer que observa desde la ventana alta, y una víctima. Las figuras están claramente delineadas, y seis semanas después, con el cuadro acabado, seguirían invariables en lo esencial. Están dibujadas con precisión y compuestas con sumo cuidado, sobre una tabla de madera de casi sesenta centímetros de ancho preparada con una base de óleo. Era como si estuviera ya listo para realizar la versión final del Guernica. Como le había dicho a Zervos en 1932, «Un cuadro no cambia básicamente, la primera visión permanece casi intacta».

Picasso trabajaría en el cuadro, ya en su tamaño definitivo, durante seis semanas más y alteraría la mayoría de las imágenes, pero luego, con frecuencia, las devolvería a la visión original. En cualquier caso, había realizado la asombrosa hazaña de dar con la imagen final del Guernica, claramente definida, tras unas cuantas horas de trabajo en un solo día.

EL SEGUNDO DIA

El domingo 2 de mayo Picasso se concentró exclusivamente en la cabeza de ese caballo que emite un alarido. Los dos dibujos son casi idénticos al de la cabeza del boceto de composición del día anterior (n.º 6), con la diferencia de que incrementó la agonía del animal distorsionando los rasgos, aumentando las formas angulares y el contraste de luz y sombra. Hasta la dentadura del caballo se proyecta desde el morro hacia fuera como dolorida por el tormento, y la lengua, el más sensible y maleable de los órganos externos, se transforma en una especie de punta de lanza. A continuación, como si se hubiera dado cuenta de que había puesto en esta imagen la máxima intensidad, inició el trabajo más complejo y acabado de toda la serie. Era la cabeza de un caballo aullante, de casi un metro de ancho y pintado, al óleo, sobre lienzo: más o menos del mismo tamaño en que quedaría en la versión final del Guernica (n.º 9). Aunque el artista repetiría una y otra vez la cabeza y el cuerpo del caballo en otros bocetos preliminares, explotando las posibilidades de expresar congoja mediante varios tipos de distorsión e incluso recurriendo a la abstracción cubista (n.º 20), con el tiempo retornó a la imagen primera del segundo día, justo cuando llegó el momento de plasmar la cabeza del caballo en la composición final.

El último boceto que culminó la serie de cabezas de caballos del segundo día dio como resultado otra composición, completa y cuidadosamente dibujada, del mismo modo que

58. MADRE CON NIÑO MUERTO (II)

26 de setiembre de 1937.
1300×1943 mm. (51 1/4×76 3/4 in)
Oleo sobre lienzo.

Bibl.: Zervos IX, lám. 69, pág. 30. Larrea: lám. 98. Arnheim: lám. 58, pág. 129.

N.º Reg.: MOMA: E.L. 39. 1093. 58.
          M. PRADO (Casón): 164.

Una vez más el artista vuelve al tema de la maternidad; esta vez lo realiza en un óleo monocromo de grandes dimensiones. Esta obra está emparentada, en composición y color, muy directamente con el «Guernica».

Roland Penrose dice de él:

«Entre los numerosos bocetos hechos en torno a «Guernica» en 1937 hay un gran lienzo monocromo conocido con el título de «Mujer con un niño muerto». Es un testimonio poético con una gran carga de ternura y de compasión expresadas con terrible violencia, similar a la del pequeño cuadro «La crucifixión», pintado siete años antes, aunque más directo en su mensaje. El movimiento de la figura de la mujer a través del cuadro culmina con su cabeza inclinada sobre el niño muerto que lleva en sus brazos. La cabeza, en el extremo del cuello estirado, expresa poderosamente la agonía gracias a las deformaciones sin precedentes que contiene y a las asociaciones de ideas que sugiere. Los ojos, juntos en el mismo perfil, se balancean como barcos en una tormenta, las fosas nasales semejan pájaros atrapados por un vendaval, mientras que de la boca sale un alarido estridente, tan penetrante como la enorme lengua en forma de llama. La lengua misma está rodeada de dientes agudos y amenazadores; los labios están tensos como la cuerda de un arco. El dolor expresado por esta fusión de imágenes es todo lo contrario de una aceptación pasiva de la desgracia: clama justicia con clara y resonante elocuencia. Y, sin embargo, hay quien puede considerar esta cabeza como monstruosa y horriblemente fea, pero tales adjetivos carecen de significado y no pueden aplicarse en modo alguno a la vívida experiencia expresada en tan aterradora imagen. Ante todo, porque gracias a las deformaciones suscita la angustia, la compasión y la indignación, y luego porque es por el acierto y el vigor de la metáfora como podemos entrever en la pintura, al igual que en la poesía, la verdad universal.»

el primer día de trabajo había alcanzado su clímax en una anticipación semejante de lo que sería el cuadro final (n.º 10). Vuelven a verse los mismos personajes en su totalidad, pero la segunda versión tiene más de acción que de reposo. El toro ha saltado, alejándose del suelo, con una mirada de alarma en la cara —más la cara de un joven que la de un animal—, y el caballo se retuerce violentamente. En comparación, la primera versión es estática, más como una decoración mural, y posee en grado menor el elemento de excitación de la corrida. La segunda composición es, como la primera, mucho mayor que los bocetos, y está pintada parcialmente al gouache *sobre una tabla de madera preparada con una base de yeso. En otras palabras, estas dos obras son visiones culminantes, prácticamente completas, de lo que seis o siete semanas más tarde sería el cuadro final.*

En estos dos primeros días de trabajo, Picasso había concebido, de una manera casi inmediata, el Guernica *tal y como se presentaría finalmente poco menos de dos meses después. Pero aún más notable era el hecho de que ninguna de estas imágenes se derivara en modo alguno, o estuviera siquiera relacionada con el suceso de la villa vasca que le había impulsado a ponerse manos a la obra. Se trataba de las imágenes más frecuentes en su arte durante los años previos a 1937: el toro embistiendo, el caballo herido, y Marie-Thérèse Walter, la mujer rubia. En otras palabras, las impresionantes noticias de España le estimularon a crear su obra más dramática, pero las imágenes que se encargaban de transmitir su emotivo, apasionado mensaje procedían de su experiencia particular como artista y como hombre.*

EL TERCER DIA

Tras haber alcanzado un clímax en las últimas obras de los dos primeros días, Picasso, aparentemente, dejó de ocuparse del tema durante una semana entera. Al sábado siguiente, 8 de mayo, cogió un nuevo motivo, esta vez una mujer que grita aterrorizada y que, medio arrastrándose y estrechando contra su pecho el cuerpo ensangrentado de un niño muerto, parece estar huyendo de un atacante invisible (n.ᵒˢ 12, 13 y 14). Al igual que con el caballo sufriente, hizo numerosas versiones de esta imagen, pareciendo tantear despiadadamente las posibilidades emocionales de este patético motivo antes de dar finalmente con la imagen de mayor fuerza trágica para la versión final del cuadro. En este caso, hay tres imágenes completamente distintas en dicha versión final del cuadro, desarrolladas todas a partir de estos apuntes: la mujer con el niño de la izquierda, la mujer atrapada en un edificio en llamas y la mujer que huye, a la derecha. En la mayoría de los apuntes la mujer adopta una postura —el cuello en pleno esfuerzo— similar a la del caballo herido, creando así una analogía que se apoya en las

59. CABEZA LLORANDO (VIII)

12 de octubre de 1937.
901 × 584 mm. (35 1/2 × 23 in)
Pluma, tinta y grafito sobre papel crema.
Firmas e inscripciones: Sup. izq.: 12 de octubre de 1937.

Bibl.: Zervos IX, lám. 74, pág. 32. Larrea: lám. 105. Arnheim: lám. 59, pág. 130.

N.º Reg.: MOMA: E.L. 39. 1093. 40.
M. PRADO (Casón): 165.

Este dibujo sobre papel crema es de características similares a los anteriores. Destaca aquí, la singular forma de los ojos, parecida bien a una media cáscara de nuez o a una pila de fuente.

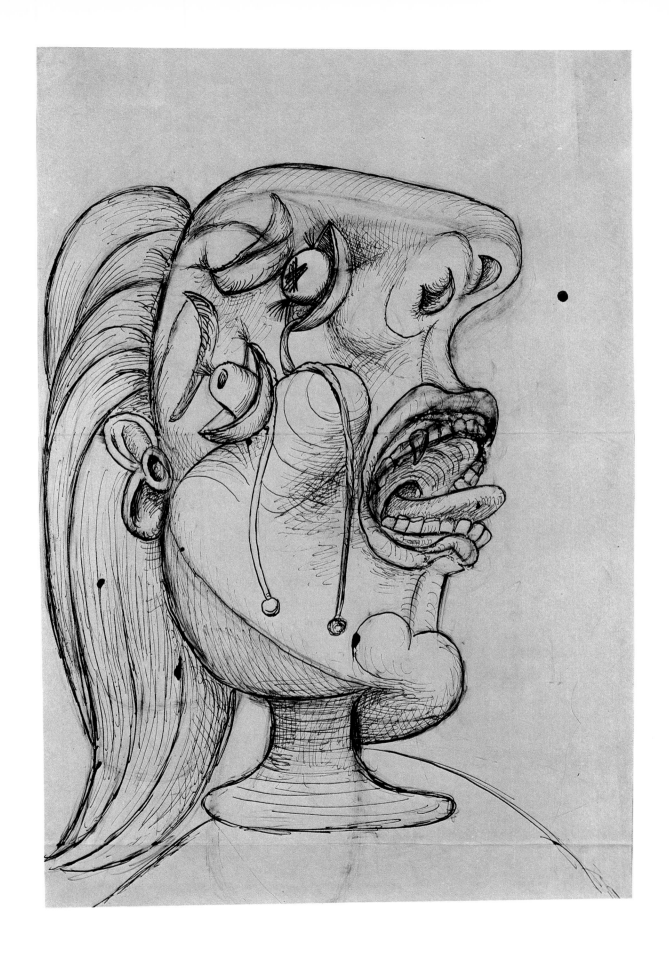

139

aseveraciones de Picasso a Juan Larrea y otras personas en el sentido de que el caballo tiene una afinidad, tanto en la corrida como en su arte, con la mujer.

La mujer que huye con su hijo muerto es la primera figura de las series de bocetos que de algún modo refleja los horrores de la guerra. Esta imagen pudo inspirarse en las fotografías de refugiados, sobre todo de mujeres y niños, que habían aparecido en los periódicos a lo largo de la semana anterior. Tras el bombardeo de Guernica, grandes cantidades —crecientes— de refugiados huían por mar desde Bilbao rumbo a puertos franceses vecinos, y L'Humanité (que Picasso, según se sabe, leía) ofrecía diariamente relatos y fotografías de ellos.

EL COMIENZO DEL CUADRO FINAL

Todos los personajes fundamentales del drama estaban ya presentes, y al cuarto día, domingo 9 de mayo, Picasso hizo la primera tentativa de unificar todos los elementos en una composición única (n.º 15). El elemento unificador fue al principio una especie de escenario teatral no muy distinto de los que había diseñado para el Ballet Ruso (como, por ejemplo, para El sombrero de tres picos, *asimismo de tema español, con música de Manuel de Falla), y trazó unas casas muy simples, como bloques, y con tejados de teja. En la arquitectura y en los fuertes contrastes de blanco y negro de las sombras geométricas están los primeros vestigios del cubismo de los años próximos a 1909, época en la que Picasso había pintado casas similares durante una visita que hizo a su amigo en Horta de Ebro. Este estilo resultaría ser el factor más importante en las fases finales de organización de todos estos elementos tan dispares en una composición unitaria.*

Por vez primera en las series de bocetos, hay aspectos del escenario que sugieren el holocausto de un bombardeo. La lámpara que sostiene la mujer, en el centro exacto y en lo alto de la composición —una suerte de clímax de la estructura piramidal—, despide rayos como una explosión, y las llamas surgen disparadas de un edificio ardiendo a la extrema derecha. La desabrida iluminación presenta fuertes contrastes de luz y sombra, como si el escenario quedara alumbrado instantáneamente por una explosión. Como sucede con una luz muy intensa, sobre todo en una fotografía o en una película, los detalles desaparecen de las zonas iluminadas y son absorbidos por las densas sombras en las tenebrosas. Las formas geométricas creadas por los bordes rectos y afilados son como las del cubismo de 1912-13, sólo que en este boceto resultan dinámicas y lacerantes, no constructivas, y transmiten eficazmente el terror del suceso. Este boceto del 9 de mayo es el último de los tres (los otros dos son los del 1 y el 2 de mayo) que suponen momentos culminantes en la génesis del cuadro y en los cuales todos los elementos están

60. CABEZA DE MUJER LLORANDO CON PAÑUELO (II)

13 de octubre de 1937.
550 × 463 mm. (21 5/8 × 18 1/8 in)
Tinta y óleo sobre lienzo.

Bibl.: Arnheim: lám. 60, pág. 131.

N.º Reg.: MOMA: E.L. 39. 1093. 37.
           M. PRADO (Casón): 166.

El tratamiento de los ojos del dibujo anterior pasa directamente a este óleo.

reunidos. Son sólo visiones provisionales, de tanteo, de lo que más adelante sería el Guernica, *pero indican con claridad la dirección en que se movían la poderosa imaginación y el pensamiento del artista.*

Aunque este dibujo constituyó otra obra culminante, no marcó el fin de una serie. Antes al contrario, impulsó al artista a volver a contemplar la pared del pabellón español en que iba a figurar su obra y a encargar un lienzo apaisado para instalarlo en su estudio (era un poco más alto que el techo, por lo que había de estar siempre inclinado, hacia adelante o hacia atrás). Dos días después, el martes 11 de mayo, y con algunos pequeños cambios más en la composición, Picasso trazó sobre el lienzo el primer esbozo con las proporciones definitivas del Guernica *(1.ª fase). Tenía unas medidas en tres metros y medio de alto por casi ocho de ancho, el lienzo más grande que había pintado jamás. Sólo había trabajado seis días en los bocetos antes de dar comienzo al cuadro final.*

La génesis de la versión definitiva del cuadro está documentada por siete fotografías de Dora Maar, y cada una de ellas, aparentemente, señala una fase bien definida de su evolución. La primera fase es un boceto provisional, aunque tanto las cuatro mujeres como el caballo, merced a los numerosos esbozos y apuntes preliminares, han evolucionado ya hasta casi presentar su aspecto definitivo.

Los esfuerzos del artista se centraron ahora principalmente en el problema técnico de la disposición de las diversas figuras dentro de los límites del gran lienzo. Sus respectivos significados habían tenido ya su desarrollo en los bocetos anteriores y ahora había que relacionarlos entre sí en el enorme lienzo. En este proceso fueron precisos numerosos ajustes, algunos de los cuales alteraban el sentido de la imagen. También aparecieron varias formas nuevas, y algunas trajeron consigo nuevos recuerdos y asociaciones. En algunos casos estas nuevas asociaciones se apartaban de los motivos centrales, y, aunque pronto fueron modificadas o borradas, a menudo, y momentáneamente, sugerían otras ideas. Algunos estudiosos del cuadro, al aferrarse con excesivo dogmatismo a muy sutiles asociaciones o a imágenes que han aparecido y luego desaparecido, se han visto inducidos a hacer exageradas interpretaciones del significado de la obra que no están en consonancia con el tema o que incluso escapan al espectro de probabilidades de Picasso.

Por ejemplo, el brazo alzado con el puño cerrado que domina la primera fase puede ser un símbolo político, ya que esta imagen era un emblema corriente de los carteles republicanos, pero también puede ser, sencillamente, un medio de establecer un eje vertical al lado izquierdo en contraposición con los del derecho. O puede tener ambos sentidos. Pese a que sus connotaciones políticas resultaban sin lugar a dudas muy familiares para Picasso, lo cierto es que el puño desapareció en seguida y fue sustituido por otras imágenes cuyo propósito parece ser el de crear un eje vertical

61. CABEZA DE MUJER LLORANDO CON PAÑUELO (III)

17 de octubre de 1937.
920 × 726 mm. (36 1/4 × 28 5/8 in)
Oleo sobre lienzo.

Bibl.: Zervos IX, lám. 77, pág. 32. Larrea: lám. 106. Arnheim: lám. 61, pág. 132.

N.º Reg.: MOMA: E.L. 39. 1093. 41.
       M. PRADO (Casón): 167.

Este óleo, verdadera obra maestra dentro de estos «postscriptos» del «Guernica» nos muestra una gran concisión en el dibujo y un acierto total en el colorido. Es obra cuya calidad puede considerarse similar a su contemporánea del mismo tema y título de la colección Penrose (Zervos IX, 73) publicada numerosas veces. Existe otra, que se conserva en la colección Marina Picasso «Mujer con pañuelo», con el n.º 12741 no catalogada por Zervos, con la que tiene mayores afinidades cromáticas.

hacia el centro del cuadro. Estas imágenes fueron el sol rodeado de rayos aserrados y, a continuación, la cabeza y el cuello del caballo, vueltos ahora hacia arriba (como fueron concebidos al principio, el 2 de mayo) en vez de hacia abajo. La composición fue dotada de una fuerza suplementaria, así como de mayor sencillez, mediante la utilización de grandes zonas planas de color negro, pintadas de manera y por razones muy parecidas, si no idénticas, a las de las pinturas cubistas de 1912-13.

En las fases posteriores del cuadro final el proceso consistió principalmente en la resolución de problemas de composición. Los últimos bocetos fechados (del 4 de junio) que pasaron inmediatamente a formar parte del cuadro fueron los de la cabeza y la mano extendida del guerrero caído (n.⁰ˢ 44 y 45). La versión definitiva es casi una copia exacta, por lo que, en consecuencia, es probable que Picasso considerara acabado el cuadro algo después de esa fecha, seguramente durante la segunda mitad de junio. Durante ese tiempo Picasso siguió haciendo bocetos, la mayoría variaciones sobre ciertos temas afines a su vida personal, aun cuando algunos estuvieran ya incorporados al cuadro. Una vez terminado éste, trabajó por espacio de varios meses sobre la madre atormentada y su hijo, prestando a la madre, en algunos momentos, las facciones del caballo herido. Llegó a obsesionarse con el rostro de la mujer que grita, que al principio surgió del de la mujer con el niño y luego tomó claramente los rasgos faciales de Dora Maar, su compañera de entonces (n.⁰ˢ 47 y ss.). Y todavía siguió cambiando tanto la postura como las facciones del toro en el lienzo, y hay cuatro apuntes que indican que experimentó con la idea del toro como hombre. El hombre con cabeza de toro, o el Minotauro, había dominado su arte durante los años anteriores, y a lo largo de ese tiempo había quedado íntimamente asociado a la atormentada vida emocional de Picasso de entonces, y, sobre todo, a sus relaciones con las tres mujeres de su vida. Sus minotauros se convirtieron, por tanto, en símbolos del amplio abanico de posibilidades emocionales, físicas y morales que caben entre lo que de divino y de animal hay en el hombre. Estos minotauros (y, detrás de ellos, el artista) se entregan a los mayores éxtasis y a las más violentas crueldades, pero, como en una moralidad medieval, también sufren las consecuencias de sus actos. Cuando Picasso dota al toro de un rostro humano semejante al de sus jóvenes y hermosos héroes clásicos (n.⁰ˢ 19 y 22), está apuntando un símbolo de significados mucho más amplios y profundos que los del simple toro de lidia. Cuando por fin plasmó la imagen del toro en el cuadro definitivo, éste era ya más que un simple toro. La postura es humana, el perfil, e incluso los ojos, son más humanos que animales. Hay hasta semejanzas con los propios ojos de Picasso, lo cual indica que el toro es una figura mucho más compleja que la de la mera fuerza bruta, y que los propios sentimientos del artista, así como su visión de la vida, están presentes en la totalidad del cuadro.

62. SUEÑO Y MENTIRA DE FRANCO (I)

8 de enero de 1937.
358×423 mm. (14 1/8×16 5/8 in), plancha
388×570 mm. (15 3/8×22 1/2 in), papel
Aguafuerte y aguatinta.

Firmas e inscripciones: Sup. centro: 8. Janvier 37 (invertido)

Bibl.: Bloch I: lám. 297, pág. 91. Larrea: lám. 22. Palau i Fabre: lám. 1, pág. 10. Blunt: lám. 12 a, pág. 10.

N.º Reg.: MOMA: E.L. 39. 1093. 55.
M. PRADO (Casón): 168.

Picasso realiza estos dos grabados, que él mismo titula, los días 8 y 9 de enero respectivamente, al poco tiempo de recibir el encargo de realizar la gran obra que será el «Guernica».

La lectura de estas planchas, divididas en nueve compartimentos a modo de historietas, debe realizarse de derecha a izquierda, ya que el artista no tuvo en cuenta la inversión de la plancha, según su costumbre.

Según Juan Larrea estaba pensado dividir cada una de las escenas y venderlas como postales, a beneficio de los combatientes españoles. Sin embargo, por diversos motivos, ello no se llevó a cabo.

144

Sin embargo, Picasso con frecuencia tocaba los dos extremos a la vez. El mismo día, 10 de mayo, en que dibujó al toro como a un héroe clásico y la pata y la cabeza del caballo en un hermoso estilo realista (n.º 18), empezó a utilizar el color. No era el color de los animales, sino uno primario y rabiosamente intenso, como el que los lápices de colores de un niño estarían en mejores condiciones de conseguir. Este color era especialmente eficaz para escenas de edificios en llamas y se mantuvo en muchos dibujos hasta bastantes semanas después de que el cuadro estuviera terminado. Añadía un elemento de intensa emotividad a los dibujos, por ejemplo, del caballo y de la mujer y el niño, motivos ya provistos de asociaciones y recuerdos de intensa expresividad. El tema de la mujer que grita iba, sin embargo, a dominar los dibujos, primero aportando un elemento trágico al cuadro, pero convirtiéndose, al final, en una serie independiente y perdurando a lo largo de varios meses. La explotación por parte de Picasso de todos los medios posibles de expresión para crear la imagen de la mujer que grita le llevó, incluso, a probar con otros materiales y géneros, tales como tinta, gouache, aguafuerte, aguatinta, combinaciones de ambas y, finalmente, varios óleos.

EL SIGNIFICADO DEL «GUERNICA»

La noticia del bombardeo de Guernica había proporcionado a Picasso la impresión que necesitaba para abalanzarse sobre el cuadro cuyo comienzo tanto había diferido. En veinticuatro horas, y con un tema espantosamente dramático dado por un hecho real, consiguió ahora lo que durante cuatro meses le había resultado imposible: ponerse a trabajar. Todas las imágenes de los esbozos iniciales formaban ya parte del arte de Picasso, y algunas de ellas, como el toro y el caballo, habían aparecido ya muchas veces en la misma forma que adoptaban en esta ocasión. Eran imágenes que, en consecuencia, estaban, junto con los distintos significados asociados a ellas, latentes en su subconsciente. Esta respuesta a la impresión producida por el bombardeo es una situación perfectamente surrealista, y su pertinencia es obvia si recordamos que, durante unos años, los amigos más íntimos de Picasso habían sido los poetas surrealistas y que en aquella época de sufrimiento personal había rechazado la pintura y cultivado la poesía dentro de esa vena artística.

Picasso insistió siempre en las fuentes personales de su arte. «Manejo los objetos de mis cuadros según me dictan mis pasiones», le dijo en 1935 a Zervos; y a Penrose, más adelante: «Vivimos nuestra obra». Françoise Gilot se vale de esta cita para decir que Picasso pinta su autobiografía, pero Kahnweiler lo expresa en términos más directos: «sus temas son sus amores». Como se ha mostrado en este artículo, las imágenes evocadoras de las que fueron las mu-

63. SUEÑO Y MENTIRA DE FRANCO (II)

9 de enero - 7 de junio de 1937.
315 × 421 mm. (12 3/8 × 16 5/8 in), plancha
389 × 571 mm. (15 3/8 × 22 1/2 in), papel
Aguafuerte y aguatinta.

Firmas e inscripciones: Sup. centro: 8. Janvier 37 (invertido). Inf. izq.: x9. Janvier 37 - 7. Juin 37 (invertido)

Bibl.: Bloch I: lám. 298, pág. 91. Larrea: lám. 23. Palau i Fabre: lám. 2, pág. 12. Blunt: lám. 2 b, pág. 10.

N.º Reg.: MOMA: E.L. 39. 1093. 60.
M. PRADO (Casón): 169.

En esta segunda plancha, comenzada el día 9 de enero, la primera escena parece ser el final de la primera plancha y la segunda tiene, según Blunt, reminiscencias de los «Desastres» de Goya y concretamente del titulado, «Murió la verdad».

Para Blunt, las cinco primeras escenas están en relación con la primera plancha, mientras las cuatro últimas están estrechamente relacionadas con el «Guernica», al que sirven de preámbulo.

Para Palau i Fabre, Picasso cambia el orden establecido en la primera plancha y la primera escena la realizaría el mismo día 8, mientras que el día 9 realizaría aquellas dos en que aparece el toro, y por último, las seis restantes las llevaría a cabo durante el mes de junio una vez acabado el «Guernica», y de aquí que aparezca la fecha del 7 de junio en la parte inferior del grabado.

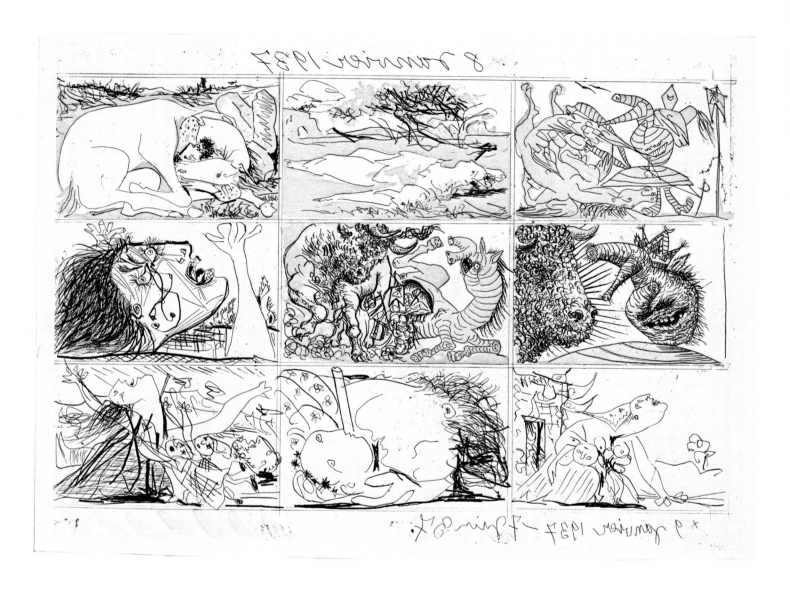

jeres de su vida en 1937 aparecen desde un principio. Y tanto los rostros como las emociones que a ellos van asociadas son elementos que prestan al cuadro buena parte de su fuerza. La única imagen que permanece invariable desde el comienzo hasta el fin es la mujer de la lámpara, que siempre se parece, pero en un momento dado tiene claramente su perfil, a la mujer rubia. Esta singular imagen tenía, sin duda, una especial importancia para Picasso. Es la única que, apareciendo en el primer y somero apunte del 1 de mayo, persiste en todas las versiones de la composición, y luego, en el cuadro final, es representada prácticamente bajo la misma forma en que se la ve por vez primera. Fue asimismo el motivo de una escultura de gran tamaño, de 1933 (cuando la obra de Picasso estaba dominada por el rostro y la figura de la mujer rubia), y de la cual se expuso, en la parte sur del pabellón español de París, un molde de cemento. Fue un molde de bronce el que, más adelante, fotografió David Douglas Duncan en el estudio del sótano de la casa de Picasso en Mougins. Llevaba un rótulo (sin fecha pero firmado) con la siguiente inscripción: «Esta escultura pertenece a la República Española». Más tarde se eligió esta misma figura para su monumento funerario, y hoy puede verse un molde de bronce de ella, sobre su tumba, en la finca de Vauvenargues.

Por su parte, algunos dibujos de Dora Maar llorando, realizados al tiempo que avanzaba el cuadro, no sólo le proporcionaron el modelo para las aterrorizadas víctimas del bombardeo, sino que dieron lugar a una serie de «postdatas» que aún siguieron una vez terminado el cuadro. Por lo demás, lo que por lo general se interpreta como una actitud protectora por parte del toro hacia la madre y el hijo en el cuadro, tiene su prototipo en los diferentes Minotauros, paternalistas y obviamente autobiográficos, de 1936.

Tomando tan sólo, del complejo ritual de la corrida, la lucha episódica entre el toro y el caballo, Picasso se sirve de estas figuras con unos fines enteramente distintos. Juan Larrea ha contado por escrito que Picasso le había dicho, ya antes de 1937, que para él el caballo, en su arte, representaba a las mujeres más importantes de su vida, y Françoise Gilot menciona que en una ocasión Picasso le hizo el comentario de que el símbolo de ella era el caballo mientras que el suyo era el más orgulloso de todos, el toro. El caballo recibe más atención que ninguna de las demás figuras, y la mayor parte de sus variaciones obedecen a la búsqueda de diferentes actitudes de sufrimiento. Todo esto es también aplicable a las demás imágenes de caballos dibujadas o pintadas por Picasso desde su juventud.

Aunque identificada por lo general en el cuadro como un simple toro, el rostro, y sobre todo los ojos de esta figura, son, de hecho, más humanos que animales (n.os 26 y 27). Se ha visto en los bocetos que esta imagen oscilaba entre uno y otro significado, en lo cual consiste a su vez, por supuesto, el significado básico de esa criatura medio hombre medio animal que es el Minotauro. Posee la potencialidad de representar a un personaje sereno y heroico semejante a los artistas, héroes clásicos y reyes de Picasso, todos ellos asociados al propio artista, pero también tiene la potencialidad de experimentar una metamorfosis que lo aboca a su yo animal y, de ese papel, hallar y padecer la muerte del toro en el ruedo. En dotar de sentido a este procedimiento consiste el método del surrealismo, método que, como sabemos merced a su poesía, Picasso había entendido y empleado.

Las imágenes de Picasso no tienen uno, sino muchos significados, la mayoría de ellos alusiones o evocaciones de ideas que pueden encontrarse en diferentes niveles de sentido. No es posible explicarlas adecuadamente tomándolas como simples alegorías o símbolos extraídos de una cultura común, como en el arte tradicional. El proceso tiene más que ver con el de su propia poesía, que había llegado a absorberle, durante los dos o tres años precedentes, más incluso que la pintura y el dibujo. Este proceso se fundamenta y apoya en la libre asociación y en la yuxtaposición irracional de elementos no relacionados entre sí, algo similar a los métodos de sus amigos los poetas surrealistas. Esta actitud abrió y ensanchó, en mucho mayor grado que antes, la esfera de la vida personal, íntima, en tanto que fuente de emociones. Picasso mismo ha confirmado este extremo. En la pintura lo más importante es la poesía, le dijo una vez a Kahnweiler; y Penrose pone lo siguiente en su boca: «Se puede pintar un cuadro con palabras, del mismo modo que pueden pintarse sensaciones en un poema».

Los significados de las imágenes evocadas por primera vez el 1 de mayo, todas las cuales habían ya aparecido con anterioridad en su obra artística, estaban profundamente arraigados en la experiencia personal de Picasso. Se derivaban, también, de una especie de simbolismo particular que había ya encontrado, mucho antes, un eficaz vehículo en el conflicto ritual entre toro y caballo. La impresión y la humillación sentidas ante el horror del bombardeo se vieron reforzadas por las acumuladas emociones conflictivas que se habían conservado en imágenes evocadoras de su vida personal, y todas ellas se transformaron e intensificaron en una imagen final. Picasso nunca se propuso representar el suceso, ni tampoco simbolizarlo o alegorizarlo, como algunos autores han tenido la tentación de inferir. Más bien, en múltiples niveles de significado y de emoción, tanto en lo humano como en lo artístico, creó un cuadro poderoso y personal que en cierto modo lo reemplazaría.

HERSCHEL B. CHIPP

Traductores:
Javier Marías
Consuelo Luca de Tena,
con la colaboración de:
Catherine Bassetti.

APENDICE DOCUMENTAL

DISCURSO DE D. LUIS ARAQUISTAIN
EN LA COLOCACION DE LA PRIMERA PIEDRA DEL PABELLON
ESPAÑOL EN LA EXPOSICION INTERNACIONAL

La République espagnole ne pouvait être absente du rendez-vous que se sont donné les Peuples à cette Exposition Universelle. Pour trois raisons principales: parce que le rendez-vous avait été donné par la France; parce que cette Assemblée de Nations sera une glorification des Arts de la Paix; et parce que la République Espagnole, en acceptant cette invitation, renouvelle devant le monde la volonté et l'assurance de sa continuité politique.

Cette invitation de la France devait être particulièrement agréable à l'Espagne Républicaine, en raison des relations d'amitié séculaire et de bon voisinage qui règnent entre les deux pays. Ces paroles ne peuvent être prises ici dans le sens d'une simple courtoisie protocolaire: elles correspondent à une indispensable réalité historique. Je doute qu'il y ait deux autres pays limitrophes qui se sentent réciproquement aussi sûrs l'un de l'autre, sans la moindre ambition l'un vers l'autre, sans la moindre envie, sans le moindre désir d'hégémonie politique, sans convoitises territoriales ou économiques, que la France et l'Espagne. Il y a bien longtemps que notre frontière commune avait cessé d'être une ligne militaire possible pour devenir une simple expression géographique. Si, depuis quelques mois, cette frontière en Europe et des territoires de nos deux pays sur un autre continent ont cessé d'être une expression géographique pour prendre subitement une signification militaire possible, la faute n'en est point à la République Espagnole, mais à ceux qui de l'intérieur et de l'extérieur l'ont attaquée d'une manière criminelle, et contre lesquels nous sommes en train de nous défendre pour rétablir non seulement l'indépendance et la souveraineté du Peuple espagnol, mais aussi l'équilibre traditionnel de notre frontière et tout ce qu'elle symbolisait jusqu'en Juillet 1936: une sûreté réciproque absolue et une amitié basée sur des idéaux de Paix et d'évolution politique communs. Notre présence à cette Exposition est une ratification des liens spirituels et politiques qui unissent les deux Républiques voisines.

Nous venons aussi à ce concours de l'Art et de la Technique pour les raisons que vous a indiquées le Professeur Gaos, et sur lesquelles il est inutile d'insister. Finalement nous y venons comme preuve de notre confiance absolue en l'avenir de la République Espagnole, en la vitalité défensive et créatrice du peuple espagnol. La Sainte Alliance du siècle passé n'avait pu étouffer le principe de libre détermination des peuples de l'Europe. La nouvelle Sainte Alliance ne pourra pas non plus éviter que le Peuple espagnol décide librement son propre destin. Pour cela, il faudrait tuer les vingt millions d'habitants qui sont prêts à mourir pour la République, ce qui serait un contresens historique et une impossibilité matérielle.

Certains ont paru s'étonner qu'en pleine guerre l'Espagne Républicaine trouve le temps et l'état d'esprit de se présenter à cette manifestation de la Culture et du Travail. C'est là précisément ce qui la distingue de la minorité factieuse en armes, qui n'a le temps et la capacité qué de détruire les vies et les valeurs humaines. Pour l'Espagne Républicaine la guerre n'est qu'un accident, un mal imposé et transitoire, qui ne l'empêche nullement de continuer à créer des œuvres spirituelles et matérielles. C'est pour cela précisément qu'elle veut vivre, pour cela qu'elle lutte: pour être libre dans la création intellectuelle, dans la justice sociale et dans la prospérité matérielle. Et c'est pour cela qu'elle doit vaincre. Notre pavillon sera la meilleur exemple et la meilleure justification de sa continuité historique. On y verra que le peuple espagnol doit vaincre parce qu'il possède, comme Minerve, toutes les armes: celles de la Liberté, celles de la Culture et celles du Travail.

Dora Maar

photographe

(1) Pavillon Espagnol

24 Tirages des Tableaux
et sculptures de Picasso
a 10 fr.- pièce   240 fr

29. RUE D'ASTORG ANJ 07.49

R. DU COMMERCE SEINE: 657.128 B

EMBAJADA DE ESPAÑA

EN

PARIS

Excmo. Sr. Don
Luis Araquistáin   Viernes,28-V-1937

Querido Don Luis:

Le he esperado a usted hasta el mediodía,
pero me dice Berdejo que tardará Ud. todavía
en regresar del Quai d'Orsay. Así, le pongo estas líneas precipitadamente, pues, como convinimos
ayer, tomo el tren a las dos de la tarde para Bruselas.

Esta mañana llegué a un acuerdo con Picasso.
A pesar de la resistencia de nuestro amigo a aceptar subvención alguna de la Embajada por la realización del "Guernica", ya que hace donación de
este cuadro a la República española, he insistido
reiteradamente en transmitirle el deseo del Gobierno de reembolsarle, al menos, los gastos en que
ha incurrido en su obra. He podido convencerle, y
de esta suerte le he extendido un cheque por valor
de 150.000 francos franceses,por los que me ha ha
firmado el correspondiente recibo. Aunque esta suma tiene, más bien, un carácter simbólico, dado el
valor inapreciable del lienzo en cuestión, representa, no obstante, practicamente una adquisición del
mismo por parte de la República. Estimo que esta
fórmula era la más conveniente para reivindicar el
derecho de propiedad del citado cuadro.

A mi vuelta de Bruselas, el lunes próximo, le
entregaré a usted personalmente el precitado recibo,
que mientras tanto he depositado en la caja fuerte
de la Embajada. Picasso desea que visitemos su taller de la rue des Grands-Augustins, para cenar
después con él. Hasta pronto,suyo

Max Aub.

EMBAJADA DE ESPAÑA
EN
PARIS

CANTIDADES ENTREGADAS POR LA CAJA DEL SERVICIO DE ADQUISICIONES

ESPECIALES PARA PROPAGANDA

```
1936
OCTUBRE    3   L. QUINTANILLA (Servicios de información        5.000,00
   "       9   L. QUINTANILLA  en la Baja Pirineos).            3.500,00
   "       10  KOESTLER        (Gastos de viaje).....           3.000,00
   "       12  ATKINSON (J. Allen . Idem).....                  6.709,75
   "       12  L. QUINTANILLA .(Idem.)...........              40.000,00
   "       13  JEAN LAURENT (Agencia Espapa).......            85.400,00
   "       20  LUIS BUÑUEL (Servicio de información. Paris/     30.000,00
   "       22  JOSE DOMINGUES DOS SANTOS especial de Francia   10.000,00
   "       26  LUIS BUÑUEL  (Idem) ...Esprague!)..             70.000,00
NOVIEMBRE   3  LUIS BUÑUEL   (Idem.) .......                   84.000,00
   "       7   MINISTRO DE ESPAÑA EN GINEBRA(para el Jour-      9.600,00
   "       12  CONSUL DE ESPAÑA EN BAYONA (Gastos ...case)     30.000,00
   "       12  JEAN LAURENT   (Agence Espagne)........        500.000,00
   "       14  R. MARIN (gastos de propaganda).....            2.000,00
   "       19  LEOCADIO LOBO  L. Propagandista)....            4.000,00
   "       20  MOVIMIENTO POR LA PAZ Y LIBERTAD ...              760,00
DICIEMBRE   1  JEAN LAURENT (Agence Espagne)                  60.000,00
   "       2   JOSE DOMINGUES DOS SANTOS (Nº Especial del     20.000,00
   "       6   LUIS BUÑUEL ........núm. periódico)            40.000,00
   "       12  M. HUYSMAN y S.R. BLASCO ...........            4.665,35
   "       15  EXPOSICION P.N.T.         ...........           6.000,00
   "       21  COHEN   ....................                    12.000,00
   "       31  LUIS BUÑUEL ....................                65.000,00
1937
ENERO      6   VIOLA WALTEDST  ....................              300,00
   "       6   PIETRO NENNI    ....................            25.000,00
   "       7   COHEN           ....................            13.600,00
   "       12  R. MARIN        ....................           155.000,00
   "       23  JEAN LAURENT    ....................           150.000,00
   "       26  LUIS BUÑUEL     ....................            70.000,00
FEBRERO     4  JEAN LAURENT    ....................           150.000,00
   "       8   COHEN           ....................            22.000,00
   "       8   ESTEFANIA GERESEN ..................            15.000,00
   "       13  COMITE ORGANIZADOR EXPOSICIONES .....           19.750,00
   "       15  JEAN LAURENT    ....................           100.000,00
   "       22  JEAN LAURENT    ....................           100.000,00
   "       28  JEAN LAURENT    ....................           100.000,00
MARZO       2  LUIS BUÑUEL     ....................            55.000,00
   "       6   COHEN           ....................            20.000,00
   "       8   JEAN LAURENT    ....................           100.000,00
   "       9   NOLLA; para COMITE VILLEURBANE .....            10.000,00
   "       16  JEAN LAURENT    ....................           150.000,00
   "       18  COHEN           ....................             9.000,00
```

SUMA y SIGUE 2.396.285,10

(Sigue en pág. sig.)

– 2 –

EMBAJADA DE ESPAÑA
EN
PARIS

		SUMA ANTERIOR	2.396.285,10
MARZO	19	COHEN	20.000,00
"	19	JEAN LAURENT	150.000,00
"	23	SCATO DIBUJANTES U.G.T BARCELONA .	6.000,00
ABRIL	2	LUIS BUÑUEL	70.000,00
"	5	JEAN LAURENT	150.000,00
"	5	COHEN	10.000,00
"	12	SUSCRIPCION SUD-OUEST de BAYONNE...	25.000,00
"	13	CARL RUSSEL	150.000,00
"	15	JEAN LAURENT	100.000,00
"	15	JEAN LAURENT	100.000,00
"	16	EXPOSICION P.N.T.	6.000,00
"	16	CARL RUSSEL	60.000,00
"	27	CARL RUSSEL	100.000,00
"	30	COHEN	53.000,00
"	30	JEAN LAURENT	150.000,00
MAYO	3	JOSE ONRUBIA	15.000,00
"	4	LUIS BUÑUEL	70.000,00
"	13	JEAN LAURENT	100.000,00
"	14	JEAN LAURENT	150.000,00
"	19	JEAN LAURENT	150.000,00
"	19	COHEN	69.566,00
"	20	JEAN LAURENT	50.000,00
"	28	P. PICASSO *gastos ("Guernica")*	150.000,00

TOTAL 4.300.851,10

París, 31 de mayo de 1937.

[firma: Max Aub]

Vº Bº

[firma: Luis Araquistain]
(A la cuenta de propaganda)

J. A. del Vayo,
Hotel Madison,
143, Bld. Saint-Germain
Paris (6ᵉ)

Sr. Don Luis Araquistáin,
22, Avenue de Champel,
Ginebra (Suiza).   París, 10-I-1953

Querido Araquistáin:

En respuesta a la pregunta que me hace Ud. en su carta de 20 de
diciembre ppdo. sobre el paradero del recibo que Picasso firmara
en París a Max Aub por la suma que éste le entregó (150.000 francos
franceses), el 28 de mayo de 1937- yo no recuerdo ahora la fecha exactamente, después del tiempo transcurrido-, le remito a usted adjunta a la presente mi certificación acerca de este asunto.

Como usted recordará seguramente, el día que Negrín decidió la
precipitada evacuación de Barcelona de nuestro Gobierno(23 de enero de 1939), me encontraba yo en Ginebra en una reunión de la Sociedad de Naciones. Así, me fué materialmente imposible personarme en
esa ciudad en aquellos trágicos momentos para ocuparme del traslado
de todos los archivos del Ministerio de Estado, y recoger asimismo
mis efectos personales y los de Luisy en nuestra casa de la Bonanova.
Pero, como digo en mi certificación, y pese a los denodados esfuerzos
que desplegó el personal de ese Ministerio por salvar esos archivos,
la mayor parte de ellos acabaron por perderse o destruirse en el caos
y desbandada general de Figueras. La pérdida de toda esa documentación
fué irreparable, señaladamente los expedientes, cartas e informes que
me dirigió usted durante su gestión en París. Entre esos papeles se
encontraba- como indico en mi certificación- el recibo de Picasso.

De todos modos, no dudo, ni por un moemnto, que este amigo, si
algún día recuperamos la República, ratificará la donación que hiciera del "Guernica" al Gobierno republicano. Por otra parte, supongo
que debe obrar en poder de usted la prueba fehaciente, en algún estado de la contabilidad de la Embajada de París,de la suma que ésta
entregó a Picasso, y que, jurídica y practicamente equivalía a la
adquisición de dicho cuadro por el Gobierno de la República. También
puede dar testimonio de ello Max Aub, quien, como usted sabe, vive ac-
tualmente en Méjico.

Esto es todo lo que le puedo comunicar sobre esta cuestión. Con-
vengo absolutamente con usted en la urgente necesidad de aclarar
este punto, por si, desaparecido Picasso o nosotros mismos, el futuro Estado republicano hubiera de reivindicar para España la propiedad del cuadro genial de ese pintor.

Dentro de unos días iremos Luisy y yo a Ginebra.Hasta pronto pues.

Alvaro Vayo

CERTIFICACION

El que suscribe, Julio Alvarez del Vayo, de nacionalidad española, ex ministro de Estado del Gobierno de la República española, y domiciliado en el Hotel Madison, 143, Bld. Saint-Germain, París(6ᵉ), certifica lo siguiente:

1. En julio de 1937, Don Luis Araquistáin, ex Embajador de la República española en París, de septiembre de 1936 a junio de 1937, a su regreso a Valencia, tras de dimitir de ese cargo, hízome entrega personalmente del recibo que firmara Don Pablo Picasso al Sr. Max Aub, agregado cultural y de propaganda de la Embajada de España en París, por la suma de 150.000(ciento cincuenta mil) francos franceses que le fueron entregados al primero en concepto de los gastos en que había incurrido en la realización de su obra intitulada "Guernica", de la que hacía donación al Gobierno de la República española.

2. Durante la evacuación de Cataluña de dicho Gobierno, a fines de enero de 1939, una parte de los archivos del Ministerio de Estado, en los que se encontraba el supradicho recibo de Don Pablo Picasso, se extraviaron o fueron destruidos en el curso de los bombardeos de Figueras por la aviación enemiga.

El infrascrito, dando fe de lo acaecido a este particular, y para que así conste y a los efectos oportunos, extiende la presente certificación, en París, el 10 de enero de 1953.

Julio Alvarez del Vayo

Firmado: Julio Alvarez del Vayo

Sr. Don
Pablo Picasso,
Villa «La Galloise»,
Vallauris (Francia).

Ginebra, 3 de abril de 1953

Querido amigo Picasso:

Permítame que le envíe, adjunta a la presente, copia mecanográfica de un artículo que dedico a usted y que se ha distribuido en toda la prensa iberoamericana el pasado mes de marzo. He aprovechado la ocasión de ocuparme de usted la tumultuosa alharaca que ha suscitado en los medio comunistas franceses la reproducción en *Les Lettres Françaises* de la efigie que, de mano maestra, ha dibujado usted de Stalin. Siempre he admirado en usted su profundo e insuperable humorismo, tan ibérico, pero que, en realidad, no enmascara sino el sentimiento trágico de la vida de nuestro pueblo. Esta vez, amigo Picasso, su humorada iconográfica —crimen de lesa majestad staliniana para algunos— se eleva a la cima del sarcasmo de buena ley. Enfín, no quiero extenderme más aquí sobre el tema. Lea mi modesto trabajo, si tiene tiempo y ganas, que ya me dará usted su opinión al respecto si tengo la suerte de que volvamos a encontrarnos algún día. También me agradará saber lo que usted opina sobre la concepción ontogénica y étnica de su arte, de profundas raíces ibéricas.

Recuerdo ahora la última vez que nos vimos en París. Creo que fue en abril de 1939, recién liquidada nuestra trágica e inútil guerra civil. Hablamos de muchas cosas, y, entre otras, del *Guernica*. Me explicó usted entonces que, clausurada la Exposición Internacional de París, de 1937, y al ver que nadie de la Embajada de España se hacía cargo de su obra, la puso usted a buen recaudo en su taller de la rue des Grands-Agustins. La noticia me produjo gran alivio al enterarme que su cuadro no había caído en manos de los franquistas. Por otra parte, no era de extrañar que mi sucesor en la Embajada de París, el inefable Don Angel Ossorio y Gallardo, no se ocupara en su tiempo de este asunto, ya que, amén de vivir en el limbo de la política, este flamante embajador de la República ignoraba por completo el arreglo a que, en mi nombre, había llegado con usted nuestro común amigo Max Aub, quien, como usted sabe, desempeñó, durante mi gestión en París, el cargo de agregado cultural y de propaganda de la Embajada de España. En efecto, al abandonar yo la misma, en los primeros días de junio de 1937, recogí todos los papeles y documentos confidenciales (compras de armas, transportes de guerra, informes secretos, estados de contabilidad, etc.), y, entre ellos, el recibo que firmó usted a Max Aub de la suma que éste le entregó a usted —pese a su resistencia a no aceptarla— en concepto de gastos incurridos en la realización del citado cuadro, de gigantescas proporciones. En realidad, la suma en cuestión (150.000 francos franceses) no tenía sino puramente un valor simbólico de adquisición de la obra por el Gobierno de la República, dada su incalculable cotización en el mercado universal de la pintura, pero que, al mismo tiempo, implicaba y confirmaba en sí su deseo de usted de hacer donación del cuadro a la República, como reiteradamente me expresó usted su intención de proceder en esa forma en las dos o tres ocasiones en que nos vimos, en mayo de 1937, en el restaurante «Chez Francis», de la Place de l'Alma, en París.

El supradicho recibo, firmado por usted, así como el original de la relación de las cantidades entregadas por la Caja del Servicio de Adquisiciones Especiales para Propaganda de la Embajada de España en París, que obra todavía en mi poder, los llevé conmigo a Valencia, tras de mi dimisión de esa Embajada. A los pocos días de mi llegada a la capital levantina entregué el recibo en cuestión al Ministro de Estado de aquel entonces, Don Julio Alvarez del Vayo, concuñado mío, explicándole las razones que me habían movido a no dejar ese documento en París, esto es, por motivos de seguridad.

El pasado mes de diciembre escribí a Alvarez del Vayo, que reside en París, preguntándole, por simple curiosidad, acerca del paradero del susodicho recibo, que, como digo, se lo había entregado en Valencia. La respuesta de Vayo, la puede usted ver en la fotocopia de su carta y de su certificación —que adjunto a la presente— de lo sucedido al respecto.

En suma: no queda traza —salvo la citada relación de sumas entregadas por la Embajada de París con fines de propaganda, mi testimonio personal y el de los Sres. Alvarez del Vayo y Max Aub— del acuerdo que este último convino con usted. De esta suerte, de usted dependerá, en parte, el destino que decida dar al *Guernica*. Lo importante en este caso es que, tras las vicisitudes de nuestra guerra y de la última mundial, el cuadro se encuentre en su poder de usted y no haya recalado en la España actual, en donde probablemente lo habrían destruido en un «auto de fe» por su significación política e histórica.

Recuerdo también en estos momentos que, en el curso del encuentro que tuvimos en abril de 1939, a que aludo más arriba, insistió usted reiteradamente en que el *Guernica* solamente debería formar parte del patrimonio artístico de España cuando en nuestro país se restableciera la República. Con su parecer coincidía yo absolutamente en aquella época, es decir, había que evitar por todos los medios la entrega del cuadro al régimen franquista, aunque éste pudiera reivindicar su propiedad en tanto que legítimo heredero —nos guste o no— de los bienes y haberes del Estado republicano. Hoy, con el transcurrir del tiempo, no estoy del todo conforme con su punto de vista, como lo estuve en 1939. Me explico: de acuerdo en que la obra de usted continúe bajo su custodia mientras viva Franco. Pero ¿qué habría que decidir si, al desaparecer el «Generalísimo», o nosotros mismos, se instituyera en España un Estado constitucional de hecho y de derecho? ¿Es que necesariamente tendría que ser un régimen de signo institucional republicano? A este particular, no dudo que de sobra conoce usted mi ingénita consustancialidad republicana, como lo he demostrado toda mi vida militando en las filas socialistas. Pero podría suceder que surgiera otra alternativa histórica, no la resucitada República de 1936, esto es, una monarquía constitucional y democrática. Y si así fuera, estaríamos obligados a acatar ese nuevo Estado, aunque sólo fuera por aquello «del lobo, un pelo»..., en cuyo caso, convencido como estoy de que el futuro régimen político confirmará y ratificará el nombramiento que le hiciera a usted el Gobierno de la República para ocupar la dirección del Museo del Prado, no tendría usted más remedio, amigo Picasso, que ir a Madrid para tomar posesión de ese cargo, y poder así colgar personalmente el *Guernica* en la «Sala Picasso».

Rogándole me perdone esta interminable epístola, le envía un abrazo muy cordial

LUIS ARAQUISTAIN

Madrid 6 de Diciembre de 1968.

EL VICEPRESIDENTE DEL GOBIERNO

Excmo. Sr. D. Florentino Perez Embid.

Mi querido amigo:

De acuerdo con nuestra conversación del otro día, he consultado con el Caudillo la conveniencia de proceder a las gestio nes necesarias para la recuperación del cuadro "Guernica" de Pablo Picasso y me ha dado su conformidad de que se lleven a cabo.

Habrá que documentarse bien sobre la situación en que el cuadro se encuentra y cuando esta documentación esté completa y quede bien concretado que el depositario es el Estado español, creo que procederá que por tu Ministerio se traslade esa documentación al de Asuntos Exteriores para que éste realice, por vía diplomáti ca, las oportunas gestiones.

Un abrazo de tu buen amigo.

Le Monde, 14 nov. 1969

ESPAGNE

Une démarche de Picasso à New-York

«GUERNICA» NE REVIENDRA EN ESPAGNE QU'AVEC LA REPUBLIQUE

Pour mettre un terme aux rumeurs qui ont suivi la tentative du gouvernement espagnol de récupérer *Guernica*. Picasso vient de charger son avocat. M. Roland Dumas, de réitérer ses intentions, au sujet de la destination de l'œuvre, auprès du Museum of Modern Art de New-York, dépositaire du tableau.

«*Pablo Picasso a clairement fait connaitre à l'époque*, écrit dans une lettre M. Dumas, *que cette œuvre devrait être remise au gouvernement de la République espagnole le jour ou la République serait restaurée en Espagne.*

»*Picasso n'a pas changé d'intention quant à la destination de cette œuvre d'art.*

»*Il m'a prié de vous le confirmer et m'a confié la mission de m'assurer aupres de vous que telle était bien votre interprétation des faits...*»

Des mandataires, s'exprimant au nom du gouvernement espagnol, ont tenté récemment de prendre contact avec Picasso, pour lui demander s'il accepterait que *Guernica* soit remis aux autorités de Madrid, pour figurer soit au musée d'art contemporain soit au Prado; selon l'avocat du peintre, «*ces démarches reposent sur une équivoque entretenue par le gouvernement espagnol, qui feint de croire que Pablo Picasso aurait, dans le passé, fait don de cette œuvre «à la jeunesse espagnole», et que cette jeunesse souhaiterait pouvoir la contempler en Espagne même.*

»*Cette version des faits est inexacte*»...

Voilà l'équivoque levée. Cela était d'autant plus nécessaire qu'à la suite de ces rumeurs Picasso avait reçu plusieurs lettres l'accusant de reniement.

Mougins, le Novembre 1970

Messieurs,

En 1939 j'ai confié à votre Musée le tableau connu sous le nom de «GUERNICA», qui mesure 11 pieds 5 1/2 sur 25 pieds 5 3/4, *qui est mon œuvre ainsi que les études ou les dessins y afférents (dont la liste est jointe à la présente) et qui ne peuvent être séparés de l'œuvre principale.*

Depuis de longues années j'ai également fait donation de ce tableau, des études et des dessins à votre Musée.

Parallèlement vous avez accepté de remettre le tableau, le études et dessins aux représentants qualifiés du Gouvernement Espagnol *lorsque les libertés publiques seront rétablies en Espagne.*

Vous savez que mon désir a toujours été de voir cette œuvre et ses annexes revenir au peuple espagnol.

Pour tenir compte de votre intention, comme de mon désir, je vous prie de bien vouloir noter mes instructions à ce sujet. La demande concernant le retour du tableau et de ses annexes pourra être formulée par les autorités espagnoles. Mais c'est au Musée qu'il appartiendra de se déssaisir de «GUERNICA» et des études et dessins qui l'accompagnent.

L'unique condition mise par moi à ce retour concerne l'avis d'un juriste.

Le Musée devra donc préalablement à toute initiative demander l'avis de Maître Roland DUMAS, Avocat à la Cour, 2 avenue Hoche, à Paris, et le Musée devra se conformer à l'avis qu'il donnera.

Maître Roland DUMAS aura la faculté de désigner par écrit telle autre personne qui aurait la même tâche que lui, au cas où lui-même serait empêché de l'accomplir pour une raison quelconque.

L'avis que le juriste devra donner portera sur la condition même du retour du tableau aux autorités du Gouvernement espagnol.

Il s'agira pour lui, ou ses successeurs, d'apprécier si les libertés publiques ont été rétablies en Espagne.

Dès réception par votre Musée d'un avis favorable de Me DUMAS; où de la personne désignée par ce dernier ou son remplaçant, vous remettrez le tableau et ses annexes dans un délai raisonnable, et au plus tard six mois après la réception de l'avis, au représentant à NEW YORK de l'Etat Espagnol.

Picasso

le 14.11.70. ./.

Je confirme à nouveau que «GUERNICA» et les études qui l'accompagnent ont él confiés par soi en dépôt, depuis 1939 au Musée d'Art Moderne de New York el qu'ile sont destinés au gouvernement de la République Espagnole.

PABLO PICASSO
MOUGINS LE

14.4.71

Picasso

The Museum of Modern Art

11 West 53 Street, New York, N.Y. 10019 Tel. 956-6100 Cable: Modernart

William Rubin
Director of Painting and Sculpture
Tel. (212) 956-2637

November 8, 1974

Mr. José Mario Armero
Bufete Jose M. Armero
Recoletos 22-5
Madrid 1, Spain

Dear Mr. Armero:

I have received your letter of October 14 and your subsequent
cablegram. The painting Guernica was entrusted by Pablo Picasso
to The Museum of Modern Art for safekeeping at the time of the
outbreak of the Second World War in 1939, and has remained with us since
then as an extended loan. As recently as a few months before his
death, Picasso reaffirmed to me his continuing approval of this arrangement.

We believe that any discussion concerning this painting must
initiate with Madame Pablo Picasso, whose concern is to carry out her
late husband's wishes. We could not consider having any communication
or discussion with you or any other party on this subject without her
participation.

Sincerely,

William Rubin

2, AVENUE HOCHE, 2
75008 PARIS
☎ 227-32-30

le IO décembre I974

PICASSO "GUERNICA"
                                    Monsieur José Mario ARMERO

                                    Abogados

                                    Recoletos 22-5°

                                    MADRID-1

                                            - ESPAGNE -

Cher Monsieur,

        J'ai bien reçu votre lettre du 15 octobre 1974.

        Je vous indique que le sort de la peinture "GUERNICA"
a été réglé par Mr Pablo PICASSO lui-même, de son vivant.

        Un document existe, qui prévoit que "GUERNICA"
appartient à la République Espagnole. Ce document est signé
de la main de Pablo PICASSO.

        Je me permets de vous signaler que dans le livre
intitulé "La Tête d'Obsidienne" paru aux Editions Gallimard,
Mr André MALRAUX fait état de la conversation qu'il a eue
avec Jacqueline PICASSO au sujet du transfert en Espagne, de
cette oeuvre capitale, conformément au voeu exprimé par mon
illustre client.

        Je pense que ces informations sont de nature à vous
éclairer et je considère dans ces conditions, que l'entretien
que vous souhaitiez avoir avec moi a perdu de son intérêt.

        Je vous prie de croire à mes sentiments les meilleurs.

                            Roland DUMAS

                            Avocat à la Cour

Mougins ce 27 Avril 1977.

Amigos,

Maite Dumas me ha traído su carta el domingo pasado.

Quizas, VDS, no saben que PABLO PICASSO dejó un documento escrito con respecto al asunto del GUERNICA.

El Maestro quería que el cuadro y los bocetos hechos para esta pintura sean entregados al Prado de Madrid.

No piensen de ninguna manera que ello pueda disminuir el símbolo del dolor de su pueblo así como el de todos los pueblos que han sufrido

Maite Dumas es el depositario de las instrucciones de Pablo Picasso

Con muchos saludos

Jacqueline Picasso

BOLETIN OFICIAL DE LAS CORTES   Núm. 24

Día 27 de octubre de 1977

Proposición no de ley sobre la devolución, por parte del Museo de Arte Moderno de Nueva York, del cuadro de Pablo Picasso «Guernica».

PRESIDENCIA DEL SENADO

El Senado, en su sesión del pasado día 19 de octubre, y de acuerdo con lo dispuesto en los artículos 137 y siguientes del vigente Reglamento, aprobó la siguiente proposición no de ley presentada por la Agrupación Independiente:

«Considerando que en España funcionan unas Cortes libremente elegidas por el pueblo español que están preparando una Constitución democrática y que el ejercicio de las libertades está garantizado y, por consiguiente, es una realidad el funcionamiento de un Gobierno democrático;

Considerando que Pablo Picasso dispuso que el cuadro «Guernica» debía quedar depositado en el Museo de Arte Moderno de Nueva York hasta que se instalara en España un Gobierno democrático, en cuyo momento se debía enviar a nuestro país;

El Senado acuerda pedir al Gobierno que, por las vías más adecuadas e inmediatas, presente ante el Organo Rector del Museo de Arte Moderno de Nueva York y ante las autoridades competentes, la solicitud de devolución del cuadro de Pablo Picasso denominado «Guernica», que se encuentra en concepto de depósito en dicho Museo;

Participar este acuerdo al Congreso de los Diputados con el requerimiento de que se adhiera al mismo, para que la solicitud se realice por las dos Cámaras conjuntamente;

Informar de este acuerdo al Senado de los Estados Unidos.»

Se ordena su publicación en el *Boletín Oficial de las Cortes.*

Palacio de las Cortes, 20 de octubre de *1977.*—El Presidente del Senado, Antonio Fontán Pérez.—El Secretario Primero, Víctor Carrascal Felgueroso.

95th CONGRESS
2d Session

Calendar No. 773

S. 3076

(Report No. 95-842)

IN THE SENATE OF THE UNITED STATES

May 15 *(legislative day. April 21). 1978*
Mr. Sparkman, from the *Committee on Foreign Relations,* reported the follow.
ing bill: which was rea twree und ordered to be placed on the enlendar

A BILL

...SPANISH DEMOCRACY

Sec. 409. (a) Congress finds that—
(1) the United States Senate, in rendering advice and consent to ratification of the 1976 Treaty of Friendship and Cooperation between the United States and Spain, declared its hope and intent that the treaty would serve to support and foster Spain's progress toward free institutions;
(2) this declaration represented the strong desire of the United States Government and the American people to see a restoration of democracy in Spain and an expansion of mutually beneficial relations between Spain and the democracies of America and Europe; and
(3) political developments in Spain during the past two years constitute a remarkable achievement by the people and leaders of Spain and a major step toward the construction of a stable and lasting Spanish democracy.
(b) Congress finds further that—
(1) the masterpiece «Guernica», painted by Pablo Picasso, has for four decades been a powerful and poignant symbol of the horror of war;
(2) this treasured painting, while universal in its significance, holds special meaning for the people of Spain by its representation of the tragic civil war which destroyed Spanish democracy;
(3) Pablo Picasso, having painted «Guernica» on commission from the Spanish Republican Government and then concerned for Spain's future when that government fell, stipulated that the painting should remain in the custody of the Museum of Modern Art in New York until Spanish democracy had been restored; and
(4) the United States and Spain, in a Supplementary Agreement entered into with the treaty, have commited themselves to expand their cooperation in the fields of education and culture;
(c) It is therefore the sense of Congress, anticipating the continuance of recent promising developments in Spanish political life, *that «Guernica» should, at some point in the near future and through appropriate legal procedure, be returned to the people and Government of a democratic Spain.*

Notre-Dame-de-Vie, Mougins, 6 mars 1980.

A Son Excellence Monsieur Adolfo SUAREZ
Président du Gouvernement Espagnol
M A D R I D

Monsieur le Président,

J'ai appris par des amis que plusieurs villes espagnoles s'offrent actuellement pour recevoir et conserver
le tableau "Guernica", peint par mon époux.

J'estime utile de vous signaler, en tant que femme
de l'artiste, que je lui ai toujours entendu exprimer à
ce sujet le désir que le tableau et les dessins qui l'accompagnent, une fois retournés en Espagne, restent à Madrid,
dans l'ensemble du Musée du Prado, dont il avait été nommé
à un certain moment Conservateur, titre qu'il appréciait
particulièrement.

Sans autre intérêt que celui de vous rapporter le
souhait de mon mari, je vous prie de croire, Monsieur le
Président, à l'assurance de ma haute considération.

-Jacqueline Picasso-

Jacqueline Picasso

The Museum of Modern Art

50th Anniversary

Richard E. Oldenburg
Director
212-956-7502

March 24, 1980

The Honorable Javier Tussel
Director general del Patriminio Artistico
Ministerio de Culture
Avda. Generalismo 39
Madrid, Spain

Dear Mr. Tussel:

In response to your request for a statement on the Museum's position, herewith:

Subject to the rights ("droits moraux") of the heirs of Picasso, The Museum of Modern Art reaffirms that it is ready to deliver to Spain Guernica and the works which accompany it after September 30, 1980.

Sujet aux droits moraux des héritiers de Picasso, The Museum of Modern Art se réaffirme prêt à livrer à l'Espagne le Guernica et les oeuvres qui l'accompagnent après le trente Septembre 1980.

Richard E. Oldenburg
Director

William Rubin
Director of Painting and Sculpture

11 West 53 Street, New York, N.Y. 10019, 212-956-6100 Cable: Modernart

The Museum of Modern Art

11 West 53 Street, New York, N.Y. 10019 Tel. 956-6100 Cable: Modernart

William Rubin
Director of Painting and Sculpture
Tel. (212) 956-2637

May 19, 1980

Ambassador Rafael Quintanilla
Ministry of Foreign Affairs
Madrid, Spain

Dear Ambassador Quintanilla

The question has been raised as to Pablo Picasso's wishes with regard to Guernica and the works accompanying it, which are on extended loan to The Museum of Modern Art from the artist's estate. I can tell you that on the three or four occasions in which I discussed this question with Picasso, who himself brought the question up, that his wishes were that the picture and its accompanying works should go from The Museum of Modern Art to the city of Madrid, where it should be installed under the aegis of the Prado Museum. This was the same position that he took with my predecessor, Mr. Alfred Barr, as Mr. Barr recounted it to me when I became Curator of the Collection. My discussions with Picasso, however, went one step further insofar as Picasso stated, learning of the delicate condition of the mural, that the work should not be shown anywhere en route to Madrid, nor should it be lent from the Prado afterwards.

Sincerely,

William Rubin

DON ALVARO MARTINEZ-NOVILLO GONZALEZ, Subdirector General de Artes Plásticas y Conservador de Museo y DON JOSE MARIA CABRERA GARRIDO, Director del Instituto de Conservación y Restauración de Obras de Arte, Funcionarios del Ministerio de Cultura de España, CERTIFICAMOS,

Que enviados oficialmente por la Dirección General de Bellas Artes, Archivos y Bibliotecas al Museo de Arte Moderno de Nueva York con objeto de proceder a realizar el inventario, informe técnico provisional de estado de conservación y supervisión del embalaje del depósito de obras originales de Pablo Ruiz Picasso que van a ser remitidas al Museo del Prado de Madrid, informamos de lo siguiente:

—PRIMERO. La relación de obras originales de Pablo Ruiz Picasso que forman el lote completo de obras que se remiten a España es la siguiente: (sigue relación 63 obras originales de Picasso encabezada por el «Guernica»).

....

....

Considerándose dicha relación conforme con las que anteriormente obraban en poder del Ministerio de Cultura, no teniendo los que suscribimos que hacer ninguna observación al respecto.

—SEGUNDO. Que examinadas todas y cada una de las obras relacionadas muestran un estado de conservación correcto que permiten sin ningún riesgo su traslado al Museo del Prado de Madrid y su posterior exhibición sin necesidad de proceder a ningún tratamiento previo.

—TERCERO. El estado actual del «Guernica» es satisfactorio, aunque, según los informes que nos ha facilitado el MOMA, esta obra a su regreso de la vuelta al mundo, en 1957, se encontraba en «muy malas condiciones». Debido a lo cual le fueron aplicados unos tratamientos que pueden esquematizarse como siguen:

—a. En 1957 las partes del cuadro que presentaban cuarteada la pintura, debido a los anteriores y sucesivos enrollamientos y desenrollamientos, fueron consolidados con cera y los bordes debilitados se reforzaron con bandas de tela.

—b. En abril de 1962 se limpió con agua destilada la superficie pictórica y se rebarnizó con Acryloid B-72.

—c. En 1964 a causa de su cambio de emplazamiento en el MOMA, se volvió a enrollar por tiempo reducido y se procedió a su parcheamiento mediante emulsión de acetato de polivinilo. Se le reemplazaron las bandas laterales y se colocó en un nuevo bastidor.

—d. En 1974 sufrió un atentado y fue pintado parcialmente con un spray rojo, que se eliminó fácilmente gracias al barniz de su superficie y se procedió a retocar las áreas dañadas y rebarnizar nuevamente con Acryloid B-67.

Todas estas operaciones, realizadas por el personal especializado del departamento de restauración del MOMA, han conducido a que la pintura se muestre bien adherida al soporte en toda la superficie del cuadro y que el lienzo, debidamente reparado en sus desperfectos, esté correctamente tensado sobre un sólido bastidor, trabajando perfectamente las bandas periféricas de refuerzo.

En la superficie pictórica se aprecian las marcas de los desperfectos sufridos anteriormente, que no fueron disimuladas mediante retoque después de ser consolidadas y protegidas. Dejamos constancia de estas marcas en el momento actual de la siguiente forma:

—1. Señalándolas sobre una fotografía general del cuadro.

—2. Fotografiando la obra con mayor detalle en seis secciones.

—3. Adjuntando detalles fotográficos de las principales marcas.

Con los datos de este historial y a la vista de los elementos dispuestos para el traslado (rulo, caja interior y exterior) podemos manifestar la idoneidad de los medios previstos para el transporte.

Por tanto firmamos el presente certificado en Nueva York a 3 de septiembre de mil novecientos ochenta y uno.

AGREEMENT

Since 1939, the Museum of Modern Art (the Museum) has had entrusted to its possession Pablo Picasso's painting «*Guernica*» and related studies and postscripts as specified on the attached Schedule A (the Works of Art), pending ultimate transfer to the Spanish State. The Government of Spain (the Government) has now advised the Museum that' it wishes to work out the details of the transfer, so that the Works of Art may be housed permanently at the Prado Museum in Madrid as full ownership of the Spanish State.

The Museum and the Government wish to set forth the details which will enable that transfer to be made promptly and efficiently. Accordingly, it has been agreed:

1. The Government, based on the advice of its experts, acknowledges that:

a) The Works of Art are in satisfactory condition in ligh of their age and prior exhibition, and

b) It has no claim to any other paintings, drawings, sketches, gouaches, etchings, aquatints or other works by Picasso in the possession of the Museum.

2. The Museum shall cause at its own cost and expense the Works of Art to be packed and crated for air shipment to Madrid, *other than the cost and expense of the construction, including the materials, of packages or crates for shipment, which shall be borne by the Government.* The packing and crating will start no later than the second week of September, 1981. The Museum shall, during the course pf such packing and crating, afford reasonable access during working hours, to representatives of the Government for the purpose of observing and approving the packing and crating of the Works of Art.

3. The Museum shall notify the Government of the completion of the packing and crating and the Government, upon the approval of its experts, will receive the Works of Art. This transfer of possession will be reflected in a document to be signed by the representatives of both the Museum and the Government. The Government shall promptly at its own cost and expense cause the Work of Art to be removed from the Museum and shipped by air to Madrid.

4. Upon removal of the Work of Art from the Museum (as provided in paragraph 3), the Government hereby agrées to release the Museum, its directors, officers, and employees, from any and all liability relating to its custody, exhibition and handling of the Works of Art from the date of their creation to the date of their removal as specified in paragraph 3.

5. The Government, upon receipt of the Works of Art, hereby agrees to indemnify and hold harmless the Museum, its directors, officers, and employees from and against any claim or liability *(including legal and other expenses)* which may arise out of the Museum's transfer of the Works of Art to the Spanish State. The Museum shall promptly notify the Government of any claims, and advise the Government from time to time with respect to their status.

6. This Agreement shall be governed by and construed in accordance with the Laws of the State of New York as well as any applicable Federal Law.

7. Any and all expenses and fees to be paid to experts and counsels *in connection with the preparation and execution of this Agreement* will be borne by the party who appointed them.

Signed in duplicate in the City of New York on the 4 day of the month of September nineteen eighty one.

THE GOVERNMENT OF SPAIN
By Máximo Cajal
    Cónsul General de España.

THE MUSEUM OF MODERN ART
By N. Paley, Chairman
    B. H. Rockefeller, President.

S T A T E M E N T

In the City of New York on the *ninth* day of the month of September of the year 1981, The Museum of Modern Art, through its representative, in accordance with the Agreement signed on the *third* day of the month of September of the year 1981, has transferred the possession of the painting "Guernica" and sixty two related studies and postscripts to the Spanish State.

The representative of the Spanish Government receives and accepts possession on behalf of the Spanish State.

From this moment all the risks that can affect the painting "Guernica" and its related works will be borne by the Spanish State.

THE GOVERNMENT OF SPAIN

By _____

Its *Minister of Culture*

THE MUSEUM OF MODERN ART

By _____

Its *Chairman*

By *Blanchette H. Rockefeller*

Its *President*

S.I.T. — SIT TRANSPORTES INTERNACIONALES, S.A.

Dir. Tel. SITEXPED
Telex: 27439 SITEX E

DOMICILIO SOCIAL
MADRID-13 - AV JOSE ANTONIO, 66 - TELS. 247 50 00 (10 líneas)
241 94 94

DEPARTAMENTO
OBRAS DE ARTE Y EXPOSICIONES

RECIBO DE ENTREGA

Hemos recibido de   SIT TRANSPORTES INTERNACIONALES, S. A.
la siguiente expedición :

Bultos	Peso	Contenido
1 caja	515	lienzo "GUERNICA", de Pablo Picasso
1 caja	135	bastidor del anterior.
4 cajas	370	62 bocetos originales mismo cuadro
6 cajas	1.020 Kg.	

La expedición descrita ha llegado por medio de :
avión de IBERIA vuelo IB - 952 del 10.9.81
guía aérea nº 075- 01090121

Remitida por :   Museo de Arte Moderno
NUEVA YORK

Madrid, 10 Septiembre 1.981

Receptor : DIRECCIÓN GENERAL DE BELLAS ARTES, ARCHIVOS Y BIBLIOTECAS
MINISTERIO DE CULTURA

Domicilio : CASON DEL BUEN RETIRO
Calle Alfonso XII, 28   MADRID-14

ceti
F.I.D.I.
IATA
NFWA
LACMA

VER CONDICIONES AL DORSO

Reg. Merc. Madrid, tomo 2023, general 1406, Sección 3ª, folio 134, Hoja 11323 - N. I. F. A-28-138790

MOD. A-60/4 - 2.000 8-80

ESPECIALIZADOS EN: TRASLADO MOBILIARIOS DIPLOMATICOS ■ MUDANZAS NACIONALES E INTERNACIONALES ■ TRANSPORTE OBRAS DE ARTE ■ EMBALAJES Y GUARDAMUEBLES
■ TRANSPORTE MOBILIARIO COMERCIAL ■ OPERACIONES ADUANA ■ CARGA AEREA ■ CONSIGNACIONES Y FLETAMENTOS ■ TRANSPORTE REGULAR POR CARRETERA CON EUROPA
■ FERIAS Y EXPOSICIONES INTERNACIONALES

BIBLIOGRAFIA

AMÓN, SANTIAGO: *Vuelve el Guernica, Común*, n.º 3. Bilbao, 1979.

ARNHEIM, RUDOLF: *El «Guernica» de Picasso. Génesis de una pintura*. Versión castellana de Esteve Rimbau i Sauri. Ed. Gustavo Gili, S. A. Barcelona, 1976.

BARR, ALFRED: *Picasso, Fifty Years of his Art*. Nueva York, 1946.

BLOCH, G.: *Pablo Picasso*. Catalogue de l'œuvre gravé et litographié. Vol. I, 1904-1967. Berna, Kornfeld and Klipstein, 1968.

BLUNT, ANTHONY: *Picasso's Guernica*. Nueva York y Toronto, 1959.

BOECK, WILHELM Y SABARTES, JAIME: *Picasso*. Nueva York, 1955.

CABANNE, PIERRE: *Le siecle de Picasso, tomo II*. 1937-1973. París, 1975.

CANTELUPE, EUGENE B: *Picasso's Guernica*. Art Journal, otoño, 1971.

CAHIERS D'ART. N.º 4-5. París, 1937.

CASSOU, JEAN: «*Picasso*». Nueva York, 1940.

CLARK, VERNON: *Guernica Mural-Picasso and Social Protest*. Science and Society, v. 5, n.º 1, invierno, 1941.

CHIPP, HERSCHEL B: *Guernica, Love, War and the Bullfight*. Art Journal, v. 33, n.º 2, invierno, 1973-1974.

DAIX, PIERRE: *Picasso*. Thames and Hudson. Londres, 1965.

FERRIER, JEAN LOUIS: *Picasso/Guernika*. Denoël/Gonthier. París, 1977.

LARREA, JUAN (textos de): *Guernica*. Prólogo de Santiago Amón. Cuadernos para el diálogo, en colaboración con Eduardo Finisterre. Madrid, 1977.

LÓPEZ REY, JOSÉ: «*Picasso's Guernica*», en Critique, v. 1, n.º 2, noviembre, 1946.

Museum of Modern Art de Nueva York, Simposio sobre «Guernica», 25 de noviembre de 1947. Texto a máquina en la biblioteca del Museum of Modern Art de Nueva York.

ORIOL ANGUERA, A.: *Guernica al desnudo*. Ed. Polígrafa, Barcelona, 1979.

PALAU I FABRE, JOSEP: *El Guernica de Picasso*. Ed. Blume. Barcelona, 1979.

PENROSE, ROLAND: *Picasso: His life and work*. Nueva York, 1958.

READ, HERBERT: *Guernica* en: «A coat of many colors». Londres, 1945. (Tomado del London Bulletin, n.º 6, octubre, 1938.

RUSSELL, FRANK, D.: *El Guernica de Picasso*. Editora Nacional. Madrid, 1981.

SANDBERG, WILLEM: *Picasso's Guernica*. «Daedalus», v. 89, n.º 1, invierno, 1960.

SOUCHÈRE, ELÈNE DE LA: *Guernica*. «Le Figaro Littéraire», 18-24 de diciembre de 1967.

VALLENTIN, ANTONINA: *Pablo Picasso*. Albin Michel. París, 1957.

ZERVOS, CHRISTIAN: *Pablo Picasso*. Vol. IX. 1937 a 1939. Editions Cahiers d'art. París.